P9-BZY-930

José N. Iturriaga

Ritos de sangre y sexo

José N. Iturriaga

Ritos de sangre y sexo

Erotismo y brutalidad en el México preindependiente

Grijalbo

Ritos de sangre y sexo
Erotismo y brutalidad en el México preindependiente

Primera edición, 2007

www.randomhousemondadori.com.mx

Comentarios sobre la edición y contenido de este libro a:
literaria@randomhousemondadori.com.mx

ISBN: 978-970-780-228-5

Impreso en México/ *Printed in Mexico*

Esta obra se terminó de imprimir en enero de 2007 en
Gráficas Monte Albán, S.A de C.V.
Fracc. Agro Industrial La Cruz
El Marqués, Querétaro México

ÍNDICE

PRÓLOGO

La historia de la humanidad es una historia de sangre, sobre todo, a causa de las guerras. En este siglo XXI las guerras siguen siendo reflejo de la barbarie humana, y nada parece indicar que el futuro pueda ser diferente.

Este libro, sin embargo, no pretende ser una historia bélica. Sólo trata de recoger los hechos cruentos más notables, en ocasiones enmarcados dentro de situaciones sociales y políticas dramáticas (precisamente como las guerras, intestinas o de conquista), y otras veces sucedidos en el reducido ámbito familiar o incluso en el nivel individual.

Este recuento noticioso incluye asimismo asuntos de carácter sexual, eventualmente relacionados con acontecimientos sangrientos.

Sacrificios humanos y autosacrificios, antropofagia, crímenes y castigos, suicidios, torturas y violencia, brutalidad religiosa y profana, fanatismo y herejías, accidentes, naufragios y sucesos cruentos, esclavitud, rebeliones, motines y ejecuciones, erotismo, lujuria y afrodisiacos, costumbres y tradiciones sexuales, prostitución, violaciones y estupros, incestos y adulterios, homosexualidad y lesbianismo, bestialismo y escatología, sadomasoquismo, profanidades e irreverencias, inmolaciones religiosas, delitos y pecados, enfermedades, todo ello es materia de esta investigación. Por supuesto que no es ni podría ser exhaustiva, pero sí proporciona, en su conjunto, una visión histórica singular del México precolombino y el virreinal.

Como observará el lector, en el apartado relativo a la época prehispánica sobresalen algunos temas principales: los sacrificios humanos y los autosacrificios, destacando entre estos últimos los que se hacían en los órganos reproductores; la antropofagia, casi siempre ritual; la esclavitud; los diferentes crímenes y sus penas; y las costumbres de índole sexual, todo ello entre diversos pueblos de México y muy especialmente entre los aztecas.

Los sacrificios humanos se han practicado en una buena parte de las civilizaciones del mundo, durante sus primeras etapas de desarrollo. Según el fraile castellano Juan de Torquemada, en todos los pueblos se llevaron a cabo, incluidos los españoles de épocas remotas.

Esos sacrificios, en el México antiguo se efectuaban para honrar a los dioses del vasto panteón indígena. No parece muy diferente el caso de los cientos de miles de indios muertos durante la Conquista, consumada en nombre de Dios y del rey de España…, aunque bien sabemos que las verdaderas motivaciones de los conquistadores fueron el botín de guerra y el saqueo (llamado por ellos «rescate» de oro; basta leer a Hernán Cortés y a otros soldados suyos, no a sus detractores).

Acerca de la antropofagia entre los mexicas, está documentado que, en términos generales, era una práctica ritual. El sevillano fray Diego Durán señala el caso de los prisioneros sacrificados: «Su carne la tenían realmente por consagrada y bendita, y la comían con tanta reverencia y con tantas ceremonias y melindres, como si fuera alguna cosa celestial». La carne humana «no la tenían por tal, sino por divina».

De cualquier manera, es probable que al no existir, en aquella época, un tabú cultural respecto de la antropofagia, algunas personas del pueblo, en situaciones extremas de hambre, hayan llegado a comer carne humana sin tener motivos religiosos.

En relación con la esclavitud —muestra incontestable de barbarie—, la usaban con largueza tanto los españoles como los indígenas prehispánicos. Cada vez que los conquistadores hacían esclavos en

México, debían reservar la quinta parte para el monarca (el quinto real), impuesto que los recaudadores de Carlos V no perdonaban. Es más: utilizando un hierro al rojo vivo se marcaba en la cara a los esclavos del rey, con el sello particular de éste. Lo mismo hacían todos, con su propio fierro personal.

No obstante, no pretendemos justificar la esclavitud prehispánica usando como argumento la esclavitud practicada por los españoles. (Si fuera el caso de hacer comparaciones, recordaríamos también que Miguel Hidalgo abolió la esclavitud en México en 1810, en tanto que los estadounidenses lo hicieron más de medio siglo después.)

Con respecto a los diversos delitos que se castigaban en el México precolombino, ciertamente con gran rigor, cabe recordar que hoy en día, en pleno siglo XXI, hay países «civilizados» del mal llamado Primer Mundo en donde se mata a los delincuentes con choques eléctricos o con inyecciones letales o con gases mortíferos. En otras naciones «menos civilizadas» subsiste la pena de muerte en la horca o ante el pelotón de fusilamiento.

Para el apartado del México prehispánico hemos utilizado dieciséis fuentes bibliográficas, casi todas de autores del siglo XVI.

Ya en el tercer milenio, los mexicanos debemos asumir, sin complejos ni rencores anacrónicos, las dos procedencias principales de nuestro mestizaje: la indígena y la española. (Ello, independientemente de que ese mestizaje provenga de español con india y a menudo como resultado de la violencia y el abuso sexual; muy raras veces se dio la mezcla entre española e indio.) Con un enfoque genético o racial, lo cierto es que casi todos los mexicanos tenemos ambas sangres; culturalmente, todos sin excepción compartimos los dos orígenes.

Cuentan que un mexicano, hace algunas décadas, le reclamó a un español las bárbaras crueldades cometidas por sus ancestros durante la Conquista, y que éste le respondió: «Serán tus ancestros, pues los míos se quedaron en España».

Una actitud hispanófoba, por parte de los mexicanos, estaría hoy tan fuera de lugar como si los españoles guardaran rencor en contra de Italia por la dominación de Pompeyo en la península ibérica o en contra de los árabes por la conquista llevada a cabo por Abderramán.

Veamos los hechos históricos como tales: sucesos ya pasados, si bien ilustrativos y didácticos. La conquista de México está a punto de cumplir medio milenio; ya es hora de digerirla, sin que ello quiera decir que ignoremos la información histórica acerca de las atrocidades y el genocidio cometido por los conquistadores en contra de los pueblos originarios de nuestro país.

Son nueve los cronistas españoles de la conquista de México, y un italiano, los que la vivieron en carne propia. Sólo se conocen escritos de siete de esas plumas: las de Hernán Cortés, Bernal Díaz del Castillo, Andrés de Tapia, Bernardino Vázquez de Tapia, Francisco de Aguilar, el Conquistador Anónimo y Thomaso Porcacchi da Castiglioni. Hubo otros tres soldados cuyos escritos están perdidos; ellos son Alonso de Ojeda, Alonso de Mata y Martín López. En el apartado respectivo leeremos información proveniente de seis de aquellos conquistadores y de otros siete autores del siglo XVI y uno del XVII.

Para los tres siglos virreinales hemos utilizado setenta y tres fuentes bibliográficas de autores de esa época colonial, con excepción de dos que son posteriores.

Para conformar este trabajo, en total hemos consultado las obras escritas por noventa y cuatro autores: la gran mayoría de ellos —ochenta y cuatro— no fueron mexicanos, y sólo una decena eran oriundos de nuestro país. La xenofobia española durante los tres siglos de la Nueva España, sustentada en motivos políticos y religiosos, hizo que el México virreinal fuera muy hermético y por ello poco visitado por personas no ibéricas; así pues, de esos ochenta y cuatro forasteros, sesenta y cinco fueron españoles. Los otros provinieron de diez países diferentes: ocho de Italia, dos de Alemania, dos de Inglaterra y sendos visitantes de Francia, Holanda, Austria, Luxemburgo, Perú, Colombia y Venezuela.

El México prehispánico fue investigado en primer lugar por los frailes historiadores españoles del siglo XVI. La Conquista fue descrita por los protagonistas vencedores, aunque, desde luego, también existe la visión de los vencidos. Durante la época colonial asimismo abundan las crónicas y relatos provenientes de españoles.

Como puede observarse en el índice, la estructura de este libro es cronológica; está dividido en tres partes: México prehispánico, la Conquista y México virreinal. A su vez, este último periodo aparece subdividido en cuatro secciones, por siglos: desde el XVI hasta los primeros años del siglo XIX. Cada sección se integra por capítulos ordenados con un criterio temático.

No debe descartarse que los escritos de algunos autores puedan contener inexactitudes o hasta invenciones.

Para comodidad de los lectores, en las transcripciones textuales y toponimias aquí contenidas hemos modernizado la ortografía del español antiguo, respetando, por supuesto, la sintaxis original.

Por igual motivo, hemos suprimido los varios cientos de notas a pie de página que este libro contendría, haciendo de esta manera más fluida su lectura. Para beneficio de los investigadores, se incorpora completa la bibliografía utilizada.

MÉXICO PREHISPÁNICO

AUTOSACRIFICIOS SEXUALES Y OTRAS PENITENCIAS

El tema de los autosacrificios no mortales, principalmente los de carácter sexual, fue abordado por casi todos los cronistas e historiadores del siglo XVI y es copiosa la información que existe al respecto. Los pobladores del México prehispánico practicaban muy variadas maneras de atormentarse a sí mismos y lo seguían haciendo incluso durante la primera centuria del virreinato.

Fray Toribio de Benavente (1491?-1569), o Motolinía como le decían con cariño los indios —*motolinía* significa en náhuatl «fraile pobre»—, miembro del connotado grupo de los doce franciscanos que llegaron a México en 1524, fue gran conocedor de esa lengua. Su *Historia de los indios de Nueva España* nos ilustra sobre este asunto, en especial acerca de los aztecas. Para los autosacrificios de índole sexual, los novicios que seguían el oficio de sacerdotes «cortaban y hendían el miembro de la generación entre cuero y carne y hacían tan grande abertura que pasaban por allí una soga tan gruesa como el brazo por la muñeca, y en largo según la devoción del penitente». Llegaba a tener esa cuerda hasta treinta metros de largo. «Y si alguno desmayaba de tan cruel desatino decíanle que aquel poco ánimo era por haber pecado y allegado a mujer».

Los casos más habituales de autosacrificios consistían en pincharse con púas de maguey las orejas, la lengua, los brazos, el pecho y de otras partes del cuerpo hasta sacarse sangre; cada provincia o pueblo acostumbraba herirse cierta región anatómica, y así, por las cicatrices que tenían, se reconocía de qué lugar provenían. «Esto de sacarse un poco de sangre para echar a los ídolos, como quien esparce agua bendita con los dedos, era general». Por el agujero que se hacían en las orejas o en la lengua pasaban «unas pajas tan gordas como cañas de trigo».

Fray Bernardino de Sahagún (1499-1590), pionero de la moderna investigación histórica y antropológica con su *Historia general de las cosas de la Nueva España* (sistemático y acucioso trabajo basado en la fuente directa de la información oral: entrevistó a cientos de ancianos indígenas que la mayor parte de su vida había transcurrido en la Prehispania), abunda en esa obra sobre diversos autosacrificios, como el mencionado de agujerarse la lengua y por el orificio pasar unas pajas de mimbre, «sean cuatrocientas u ochocientas; haciendo esto se te perdonan las suciedades que hiciste», informaban los indígenas a Sahagún.

En el decimocuarto mes del año, los aztecas hacían fiesta al dios Mixcóatl, con flechas de guerra y mataban a muchos esclavos. Cuando hacían las saetas, durante cinco días «todos se sangraban de las orejas, y la sangre que exprimían de ellas untábanla por sus mismas sienes; decían que hacían manda para ir a cazar venados». Los que no se sangraban daban mantas a los sacerdotes, como penitencia. «Ningún hombre se echaba con su mujer en estos días, ni los viejos ni viejas bebían pulque».

El dominico sevillano fray Diego Durán (1537?-1587?), para escribir su *Historia de las Indias de Nueva España e islas de la terra firme,* también se basó en la fuente oral, pero además utilizó códices y manuscritos en náhuatl y en castellano. Éste es un fragmento sobre los autosacrificios que practicaban los sacerdotes: «Guardaban continencia, y muchos de ellos, por no venir a caer en alguna flaqueza, se hendían por en medio los miembros viriles —cosa que hace temblar las carnes—, y se hacían mil cosas para volverse impotentes, por no ofender a sus dioses, a trueque de que los tuviesen por siervos del demonio y por hombres santos y penitentes y castos y honestos».

El doctor Francisco Hernández (1517- 1578) es conocido en

México casi sólo por especialistas: botánicos, zoólogos, naturalistas y, en general, personas interesadas en la historia de la ciencia en nuestro país. En 1570, el rey lo designó protomédico para llevar a cabo la que podría considerarse la primera misión científica de envergadura en el Nuevo Mundo. Más raro aún que su importante obra científica es el libro que hoy utilizamos aquí: *Antigüedades de la Nueva España.*

Acerca de los autosacrificios, informa que no faltaban jóvenes que, después de haber ayunado muchos días, «separaban con navajas de piedra el cutis del miembro viril del músculo mismo, y que pasaran por la hendedura innumerables varitas, unas más gordas que las otras e iguales al mismo pene en longitud, y sobre la marcha las quemaban y ofrecían a los dioses el humo». Si a alguno le faltaba ánimo y por esa razón no concluía el sacrificio, no era considerado «virgen, ni probo, ni grato a los dioses, sino por el contrario, infame, torpe e indigno de ponerse frente a los dioses o a los hombres».

El jesuita Joseph de Acosta (1540-1600), en su clásica *Historia natural y moral de las Indias,* anota con respecto a los autosacrificios que los sacerdotes se levantaban a media noche y, después de incensar a sus ídolos, se sentaban todos juntos y tomando cada uno una púa de maguey u «otro género de lancetas o navajas, pasábanse las pantorrillas junto a la espinilla, sacándose mucha sangre, con la cual se untaban las sienes, y poníanlas después entre las almenas del patio para que todos las viesen y entendiesen la penitencia que hacían por el pueblo».

La mayoría de sus ejercicios espirituales eran de noche, y «hacían sus crueldades, martirizándose por el diablo, y todo porque los tuviesen por grandes ayunadores y muy penitentes». Usaban *disciplinas* para flagelarse a sí mismos; eran unas sogas que tenían nudos, y no sólo eran prácticas de los sacerdotes sino que «todos hacían disciplina en la procesión y fiesta que se hacía al ídolo Tezcatlipoca». Pareciera una semana mayor en Taxco.

El sevillano Juan de Tolosa Olea fue esposo de Leonor Cortés

Moctezuma, una hija que tuvo Hernán Cortés con la nieta del emperador azteca. Treinta años después encontramos a Tolosa como regidor de Citlaltomagua y Anecuilco, hoy estado de Guerrero, lugares sobre los que escribió una relación. Acerca de los ritos y los ídolos prevalecientes en aquellos pueblos, asienta que «adoraban árboles grandes y peñas y otras cosas», así como animales y aves, y los que querían subir «en altos montes y sierras, allí encendían una resina que es a manera de incienso blanco, y allí se cortaban las lenguas y en otras partes de sus miembros y lo ofrecían al demonio, y a las piedras rociaban con la sangre que les salía».

Al franciscano Diego de Landa (1524?-1579), quien llegaría a ser obispo de Yucatán, se le debe culpar de uno de los más importantes *culturicidios* de nuestra historia: la destrucción de miles de códices e ídolos mayas. Como paradoja o acaso arrepentido, escribió la pieza clave para conocer la historia antigua de la península: *Relación de las cosas de Yucatán,* donde apreciamos muchas similitudes entre las costumbres de los mayas y las del centro de México. Desde luego, al igual que los aztecas y otras culturas mesoamericanas, los mayas practicaban los autosacrificios no mortales.

Hacían sacrificios con su propia sangre cortándose unas veces «las orejas a la redonda, por pedazos, y así las dejaban por señal». Otras veces se agujereaban las mejillas, otras «los bezos bajos»; otras se cortaban partes de sus cuerpos; otras se agujereaban las lenguas, por los lados, y pasaban por los agujeros unas pajas «con grandísimo dolor; otras se harpaban lo superfluo del miembro vergonzoso».

Otras veces hacían un «sucio y penoso» sacrificio, juntándose en el templo; se hacían agujeros en el miembro viril, «al soslayo», por un lado, y a través de ellos pasaban la mayor cantidad de hilo que podían, quedando así todos «asidos y ensartados»; también untaban con la sangre «de todas estas partes al demonio y el que más hacía era tenido por más valiente, y sus hijos, desde pequeños, comenzaban a ocupárse en ello, y es cosa espantable cuán aficionados eran a eso».

SACRIFICIOS HUMANOS

La variedad de los sacrificios humanos que practicaban los pueblos prehispánicos de Mesoamérica era notable. Sorprende que el fraile español Juan de Torquemada (1557?-1624), historiador franciscano y estudioso de la lengua náhuatl, en su obra *Monarquía indiana* trate con amplitud este tema y de alguna manera justifica tales sacrificios.

En un capítulo habla del «origen y principio que las naciones del mundo tuvieron en sacrificar hombres, que es tan antiguo. Las más lo han usado, y no sé si diga, todas; porque pienso que muy pocas, o ninguna, se han escapado de este sacrificio de hombres, hecho y ofrecido a muchos y muy diversos dioses».

Más adelante pretende probar su antigüedad y uso generalizado entre los pueblos primitivos, y «no ser contra la ley natural ofrecer a Dios los hijos, en sacrificio, siendo por él pedidos. Siendo que el hombre debe a Dios todo lo que es y tiene, y siendo tan grandes las mercedes que de Él ha recibido, queda el hombre a Dios tan obligado, que aunque haga todo su deber en su servicio, no satisface dignamente lo que le debe. Por lo cual, digo que no erraban los indios en el sacrificio, aunque en la intención sí erraban, pues lo ofrecían al demonio». Y a mayor abundamiento, escribe otro capítulo sobre los sacrificios humanos que antiguamente dedicaban «los españoles y andaluces a los demonios, a los cuales adoraban por dioses».

Por su parte, Motolinía hace un largo recuento de estas cruentas prácticas religiosas entre los aztecas. El sacrificio más usual consistía en la extracción del corazón de la víctima todavía viva: entre cinco hombres sujetaban por las extremidades y la cabeza a la persona, acostada sobre una losa, y con una gran navaja de obsidiana, tomada a dos manos, el sacerdote asestaba un fortísimo golpe sobre el pecho, rompiendo los huesos y abriéndolo; «con mucha fuerza abría al desventurado y de presto sacábale el corazón, bullendo», y luego lo ponían en una jícara ante el altar. A veces tomaban el corazón y lo levantaban hacia el sol, ofreciéndolo a los cuatro puntos cardinales, y otras untaban los labios de los ídolos con la sangre.

A quienes sacrificaban quemados los ataban de pies y manos y los echaban en una gran hoguera, sin dejarlos morir, para después sacarles los corazones, aun latiendo.

Había otros sacrificios más. Degollaban a dos mujeres esclavas en el altar, en lo más alto del templo, y allí las desollaban de todo el cuerpo y el rostro, «y sacábanles las canillas de los muslos»; al día siguiente, por la mañana, dos indios principales «vestíanse los cueros, y los rostros también como máscaras».

Los había flechados: en seis altos postes que la víspera de la fiesta habían levantado, en la punta ataban a algunos cautivos de guerra; estaban alrededor más de dos mil jóvenes y hombres con sus arcos y flechas, quienes «disparaban en ellos las saetas como lluvia». Después, subían a desatarlos y los dejaban caer de aquella altura y, por último, «les daban la tercera muerte sacrificándolos y sacándoles los corazones».

En otra fiesta levantaban a un hombre atado a una cruz muy alta, y allí lo flechaban. En otra más, amarraban a la víctima «y con varas de palo de encina del largo de una braza, con las puntas muy agudas, le mataban agarrocheándole como a un toro».

Había sacrificios de infantes, hijos de principales: niños y niñas de tres o cuatro años de edad, degollados en un monte «en reverencia a un ídolo que decían que era el dios del agua y cuando faltaba la pedían a este ídolo». También en honor a Tláloc compraban cuatro niños esclavos de cinco o seis años de edad y los encerraban en una cueva, que tapiaban, dejándolos allí morir; no la abrían sino hasta el año siguiente, cunado hacían lo mismo de nueva cuenta. En la laguna de México llevaban en una barca muy pequeña a un niño y una niña, y en medio del agua «los ofrecían al demonio, y allí los sumergían».

Fray Bernardino de Sahagún es prolífico en estos temas. A los esclavos que mataban les arrancaban «los cabellos de la coronilla y guardábanlos los mismos amos, como reliquias», y cuando los subían por las gradas del templo, algunos se desmayaban, y sus dueños los arrastraban por los cabellos hasta donde habían de morir. Después de sacrificado, despedazaban el cuerpo.

En el quinto mes del año azteca hacían una gran fiesta en honor de Tezcatlipoca, a quien «tenían por dios de los dioses». Mataban a un joven que no tuviera ningún defecto físico, «criado en todos los deleites por espacio de un año, instruido en tañer y cantar y en hablar». El muchacho se elegía entre muchos y andaba por todo el pueblo muy arreglado, con flores en la mano y con personas que lo acompañaban; todos sabían que era la imagen viva de Tezcatlipoca y se postraban ante él. «Veinte días antes de que llegase esta fiesta daban al mancebo cuatro mozas bien dispuestas y criadas para esto, con las cuales todos los veinte días tenía conversación carnal. Cortábanle los cabellos como capitán y dábanle otros atavíos más galanes. Cinco días antes de que muriese hacíanle fiestas y banquetes, en lugares frescos y amenos; acompañábanle muchos principales». Llegado el día, le sacaban el corazón y le cortaban la cabeza.

En el décimo mes de su calendario llevaban a cabo una ceremonia con prisioneros de guerra durante toda la noche, y después los narcotizaban: «Empolvorizábanles las caras con unos polvos que llaman *yiauhtli,* para que perdiesen el sentido y no sintiesen tanto la muerte»; a cada uno lo ataban de pies y manos y lo arrojaban sobre un montón de brasas, dejándolo quemar un buen rato. Cuando estaba en el fuego, «comenzaba a dar vuelcos y a hacer bascas; comenzaba a rechinar el cuerpo como cuando asan algún animal, y levantábanse vejigas por todas partes del cuerpo»; lo sacaban aun vivo, abriéndole el pecho para arrancarle el corazón.

En el undécimo mes sacrificaban a una mujer, procurando que no se diera cuenta de que iba de morir, pues si lloraba o se entristecía era señal de mal agüero. Llegada la noche del sacrificio, «ataviábanla muy ricamente y hacíanla entender que la llevaban para que durmiese con ella algún gran señor».

En su fiesta respectiva, los mercaderes ofrecían esclavos en sacrificio. El dueño le proporcionaba a su escalvo «una moza pública para que le alegrase y retozase y le regalase, y no le consintiese estar triste»; cuando el esclavo iba a morir regalaba sus vestidos a aquella joven que le había acompañado todos los anteriores días. Compraban los esclavos en Azcapotzalco, donde había un mercado especializado en semejante mercancía.

Cuando los cuerpos sacrificados eran bajados o rodados desde lo alto del templo, en ocasiones estaban abajo dos mujeres viejas, con unas jícaras con tamales y mole; ellas les metían en la boca, a cada uno de los muertos, cuatro bocados y les rociaban las caras con unas hojas de maíz mojadas en agua. Luego otros hombres les cortaban la cabeza y la colocaban en el *tzompantli* o muro de cráneos, hecho de sucesivos postes verticales donde se clavaban las cabezas.

Los tolucas y matlatzincas, cuando sacrificaban alguna persona, la mataban retorciéndola entre cordeles colocados a manera de red, y dentro de ellos «la estrujaban tanto que por las mallas de la red salían los huesos de los brazos y pies, y derramaban la sangre delante de su ídolo, hasta que le hacían echar los intestinos».

Uno de los dieciocho meses que tenía el año azteca estaba dedicado a Tláloc, el dios de la lluvia. En su honor arreglaban a niños con ricos atavíos para llevarlos a matar a los montes, en unas literas que transportaban sobre los hombros adornadas con plumas y flores; iban tocando música, cantando y bailando delante de ellos. Si lloraban con muchas lágrimas, se alegraban porque era pronóstico de que ese año había de tener abundante agua. Buscaban «niños de teta», comprándolos a sus madres; escogían a aquellos que tenían dos remolinos en el cuero cabelludo y hubieran nacido en «buen signo»; decían que éstos eran más agradable ofrenda a sus dioses.

También sacrificaban a Tláloc niños adornados con abundantes joyas en un «sumidero» de la laguna de México, conocido como Pantitlán, muy cerca de la actual Central de Abasto capitalina. La moderna tecnología arqueológica pronto permitirá la búsqueda de esas joyas prehispánicas en lo que fue ese fenómeno hidrológico poco atendido por los historiadores. Para los eventuales buscadores de ese tipo de tesoros, conviene recordar la pista dada por Sahagún: que el agua de ese sumidero seguía un curso subterráneo y desembocaba cerca de Apaxco, en el valle de Tula. Esta información es muy verosímil, pues no es casualidad que el viejo canal de Huehuetoca o Tajo de Nochistongo —desde el siglo XVII hasta la fecha— y el drenaje profundo de la capital —desde el siglo XX— también desagüen cerca de Apaxco, saliendo ambos del Valle de México.

Fray Diego Durán también se aboca a esta materia específica a señalar que los indígenas llevaban a una niña en una canoa a aquel lugar «y con una fisga de matar patos, la degollaban y escurrían la sangre en el agua», dejando después que el remolino se tragara el cuerpo. «Reyes y todos los señores ofrecían tantas riquezas de joyas y piedras y collares y ajorcas, en tanta abundancia, echándolo todo en el mismo lugar en que habían echado a la muchacha, donde cada año echaban tanta cantidad de oro que era maravilla.»

A los sacrificios que ya vimos, Durán agrega otros: los «aspados» (amarrados en dos palos), los despeñados y los empalados. Además, había combinaciones de las diversas variantes. Veamos detalles de algunas.

A una mujer le daban cuatro fuertes golpes en la cabeza contra una gran piedra que había en el templo y, antes de morir, cortábanle la garganta, «como quien degüella a un carnero, y escurríanle la sangre sobre la misma peña. Acabada de morir, cortábanle la cabeza».

Otro sacrificio consistía en degollar a un hombre, «mandándole que fuese con un mensaje al verdadero sol a la otra vida»; con la sangre de la víctima se bañaban tanto una imagen de piedra de ese astro como el cuarto donde estaba colocada; después le abrían el pecho y le sacaban el corazón, «y con la mano alta se lo presentaban al sol, hasta que dejase de bahear y se enfriara».

Otro sacrificado era lanzado desde lo alto del templo «y daba tan grande porrazo abajo que se hacía pedazos». Luego lo degollaban y recogían la sangre en un recipiente.

A una mujer «santificada en diosa», acostada boca arriba sobre las espaldas de un indio, «llegaba el sacrificador y echaba mano de sus cabellos y degollábala, de suerte que el que la tenía cargada se bañaba todo en sangre». Después era desollada y con la piel se cubría un hombre, representando a la diosa. «Encima del cuero le vestían con aquella camisa y enaguas que la india había hilado y tejido de henequén.»

A otros desollados («desde el colodrillo hasta el calcañar») les sacaban el corazón para «ofrecerlo al oriente». Los hombres que se ataviaban con esas pieles humanas se dedicaban veinte días a pedir limosna con el tétrico disfraz y después había otros veinte días más de ceremonias. De manera que, «cuando se venía a acabar, hedían ya los cueros y estaban tan negros y abominables que era asco y horror verlos».

En honor a la diosa identificada con el volcán Iztaccíhuatl (llamado por los españoles Sierra Nevada), vestían a una esclava —«purificada en nombre de este ídolo»— toda de verde, con una corona blanca en la cabeza, representando el bosque y la nieve. A esta india mataban ante la imagen y llevaban a dos niños y dos niñas pequeños, «metidos en unos pabellones hechos de mantas ricas y, a ellos, muy vestidos y galanos, sacrificaban en la misma sierra».

Otro sacrificio infantil consistía en degollar a un niño, cuya sangre recogían «en un lebrillejo, y el principal de los sacerdotes, con un hisopo en la mano, lo remojaba en aquella sangre inocente y rociaba al ídolo y a toda la ofrenda y a toda la comida».

Por «guerras floridas» se conoce a las que sostenían los aztecas y otros pueblos mesoamericanos para obtener prisioneros. «Querían aquella gente para comida sabrosa y caliente de los dioses, cuya carne les era dulcísima y delicada. De suerte que más pugnaban por prenderse que por matarse unos a otros, y ése era su fin: prender y no matar, ni hacer otro mal o daño».

El italiano Lorenzo Boturini (1702-1755?), con la mejor colección sobre el México prehispánico que nadie hubiera logrado reunir jamás, apoyó sus investigaciones en códices, pinturas, mapas y documentos diversos que le permitieron escribir su *Idea de una nueva historia de la América septentrional.* Destaca en ella un sacrificio practicado por los aztecas referido a prisioneros de guerra que eran obligados a pelear hasta morir, «porque los tenían de antemano consagrados a los dioses». A los capitanes famosos que conseguían atrapar, los ataban con una cuerda a la cintura, y puestos de pie sobre una piedra redonda, que tenía un agujero en medio por donde pasaba la cuerda, «permitíanles otra vez pelear, y les daban armas cortas, según tengo en mis pinturas». El preso se enfrentaba a un oficial del ejército vencedor, armado más ventajosamente, y llegaba a suceder que ganara y matara al contrincante, a pesar de estar amarrado; entonces debía enfrentarse a otro más, «hasta que cansado ya de la larga pelea, el criado, que estaba bajo la piedra, tiraba la cuerda, y lo sujetaba». Entonces el sacerdote del templo procedía a extraerle el corazón.

«Consentían los presos el sacrificio de tan buena gana, que no se lee que alguno de ellos hubiese querido la libertad, quizá fundados en aquella virtud heroica del paganismo.»

El Conquistador Anónimo, desconocido autor de la *Relación de Tenochtitlán,* hace una relación pormenorizada, con algunas variantes, del sacrificio gladiatorio, la pelea ritual desventajosa para el prisionero: lo ataban por el pie con una cuerda larga y delgada, le daban espada y escudo, y luego el mismo que lo había apresado venía a pelear con él. «Si tornaba de nuevo a vencerlo, era tenido por hombre valerosísimo y le daban un distintivo por tan gran muestra de valor; si el señor preso vencía a éste y a otros seis, de manera que fuesen siete los vencidos, lo dejaban en libertad.»

Este anónimo soldado y escritor agrega algo interesante acerca del sacrificio más usual. Al sujeto señalado «llévanlo al templo, donde bailan y hacen una gran fiesta, y él también se regocija y baila con los demás». En seguida el sacerdote lo desnudaba y lo llevaba a la parte superior. Todos comenzaban de nuevo a cantar y bailar alrededor, y le decían un mensaje que había de llevar a su dios. Colocado en la posición adecuada y detenido por cinco hombres, «viene luego el sacrificador, que no es menor oficio entre ellos, y con una navaja de piedra, que corta como si fuera de hierro, pero tan grande como un gran cuchillo, en menos que tardaría uno en persignarse, la clava en el pecho, se lo abre y le saca el corazón caliente y palpitante».

El franciscano Marcos de Niza (¿-1558), de origen francés, en su *Historia de México* rescató interesantes datos y mitos anteriores a la llegada de los conquistadores, como éstos referidos a los popolocas, quienes viven hacia la Mixteca poblana. Ellos tenían un ídolo del dios Amatéotl «teñido con sangre de hombres. Tenía la sangre de ochenta mil esclavos cuando los españoles lo encontraron».

El vizcaíno fray Jerónimo de Alcalá (1508?-1545?) fue autor de la *Relación de Michoacán,* investigación que recopila informaciones de los viejos y los sabios tarascos, escrita en lengua purépecha. Desde luego que la costumbre de los sacrificios humanos era la que más desconcertaba a la mentalidad española. Algunos de ellos estaban vinculados a las aguas termales que todavía hoy disfrutamos al oriente de Morelia.

Sacrificaban esclavos en Zinapécuaro, sacándoles los corazones, y los llevaban a los manantiales del pueblo de Araró; «echábanlos en una fuente caliente pequeña y tapábanlos con tablas; echaban sangre en las otras fuentes que están en el pueblo, que eran dedicadas a otros dioses. Y aquellas fuentes echan vaho de sí y decían que de allí salían las nubes para llover. Y después, el siguiente día, bailaban vestidos con los pellejos de los esclavos sacrificados. Y emborrachábanse cinco días».

A veces los sacrificios provocaban verdaderos ríos de sangre, como cuando Curicaueri embriagó a sus enemigos hasta que cayeron todos al suelo; unas viejas los subían al templo y allí los mataban los sacerdotes, «que estuvieron todo un día sacrificando; y llegaba la sangre al pie del templo y después iba un arroyo de sangre por el patio. Y pusieron en unos varales las cabezas de los sacrificados, que hacían gran sombra».

En ciertas ocasiones, las víctimas compartían el boato con sus victimarios. Durante dos días arreglaban a los cautivos con plumas, cascabeles y adornos de plata, «como soles, y unos cabellos largos a las espaldas. Y sacrificaron a todos aquellos cautivos, y un día entero no hicieron sino sacrificar».

En otros casos bañaban a los prisioneros y le daban a cada uno una manta blanca y una camiseta colorada para que se cubriera, y brazaletes y collares de cobre; les ponían unas guirnaldas de trébol con flores en la cabeza y les daban de comer y los embriagaban. «Y tañen sus atabales con ellos, los sacerdotes del dios del mar. Y después los sacrificaban y se vestían sus pellejos y bailaban con ellos.»

Respecto de las costumbres sacrificiales en Yucatán, fray Diego de Landa resalta las siguientes, referidas a los esclavos: al que debía morir con flechas lo desnudaban y le pintaban el cuerpo de color azul, poniéndole un gorro en la cabeza, y «después de echado el demonio», hacía la gente un solemne baile, todos con arcos y flechas alrededor del palo donde en lo alto estaba la víctima amarrada. El sacerdote «le hería en la parte verenda, fuese mujer u hombre, y le sacaba sangre» y untaba con ella los rostros de los ídolos, y haciendo cierta señal a los bailadores, ellos, «como bailando, pasaban de prisa y por orden le comenzaban a flechar el corazón, el cual tenía señalado con una señal blanca; y de esta manera poníanle al punto como un erizo de flechas».

Si habían de sacar el corazón al esclavo, lo llevaban al patio del templo con gran aparato «y compañía de gente, y embadurnado de azul y su coroza puesta, lo llevaban a la grada redonda que era el sacrificadero». Después de que el sacerdote y sus asistentes untaban aquella piedra con color azul y «echaban al demonio, purificando el templo», tomaban al que sacrificaban y lo detenían de espaldas en aquella losa. El oficiante, con una navaja de piedra, «dábale con mucha destreza y crueldad una cuchillada entre las costillas, del lado izquierdo, debajo de la tetilla, y echaba la mano al corazón como rabioso tigre, arrancándoselo vivo, y puesto en un plato, iba muy de prisa y untaba a los ídolos los rostros con aquella sangre fresca».

Algunas veces hacían este sacrificio en la parte alta del templo y después echaban el cuerpo ya muerto a rodar gradas abajo. Allí era desollado «todo el cuero entero, salvo los pies y las manos, y desnudo el sacerdote, en cueros vivos, se forraba con aquella piel y bailaban con él los demás, y esto era cosa de mucha solemnidad para ellos».

ANTROPOFAGIA

La antropofagia practicada por los pueblos mesoamericanos precolombinos era, hasta donde se sabe, de carácter ritual. Sin embargo, no debe descartarse que, superada la barrera psicológica en contra de comer carne humana, en casos de hambruna hayan llegado al canibalismo por razones de subsistencia.

Bien lo señala fray Diego Durán al decir que la antropofagia en el México antiguo tenía motivos religiosos, como en el caso de los prisioneros sacrificados por los aztecas, «celebrando la solemnidad con ellos; su carne la tenían realmente por consagrada y bendita, y la comían con tanta reverencia y con tantas ceremonias y melindres, como si fuera alguna cosa celestial». La carne humana «no la tenían por tal, sino por divina».

También Sahagún nos deja ver otros aspectos simbólicos de la antropofagia, como el sacrificio de un preso de guerra: «El señor del cautivo no comía de él, porque hacía de cuenta que aquélla era su misma carne, porque desde la hora en que lo cautivó lo tenía por su hijo, y el cautivo a su señor por padre, y por esta razón no quería comer de aquella carne; empero comía de la carne de otros cautivos».

En cierta fiesta mataban a algunas mujeres a honra de los dioses de los montes, a donde las conducían. Allí les cortaban la cabeza y los cuerpos eran llevados a los barrios de donde provenían, y al otro día los hacían pedazos y los comían.

En la festividad ritual de los mercaderes se sacrificaban esclavos a los dioses respectivos, preparándolos con muy buen trato y sustento: «Este regalo y otros muchos les hacían porque engordasen»; les daban de comer «delicadamente y regaladamente».

Agrega el historiador franciscano que en ciertas ocasiones posteriores a alguna batalla, los sacerdotes, después del sacrificio de algún prisionero, «enviaban a Moctezuma un muslo para que comiese» y el resto del cuerpo lo repartían entre los otros principales o los parientes; lo iban a comer a la casa del que capturó a la víctima. Solían cocer aquella carne con maíz y daban a cada quien un pedazo en una «escudilla o cajete», con su caldo y su maíz cocido; «después de haber comido andaba la borrachería».

Con respecto a la antropofagia de Moctezuma, fray Juan de Torquemada asegura que pocas veces comía carne humana, pero que ésta debía ser «de la sacrificada y aderezada muy por extremo, y de otra manera no la comía, como quisieron, falsamente, imputarle algunos que ni lo supieron ni lo entendieron, sino por la mala voluntad que les tenían concebida a los indios».

Motolinía apunta que, cuando los sacerdotes realizaban sacrificios, en ocasiones ellos mismos se comían los corazones, y en otras, los enterraban. Asimismo, «las cabezas dábanlas a los ministros de los ídolos», en tanto que los señores más relevantes se comían los cuerpos.

El cuerpo era tirado gradas abajo del templo, rodando, y si era de los cautivos en guerra, el que lo había apresado se lo llevaba para compartirlo con sus amigos y parientes, «y aparejaban aquella carne humana con otras comidas, y al otro día hacían fiesta y le comían». Si el sacrificado era esclavo no lo echaban a rodar, sino que lo bajaban en brazos y hacían la misma fiesta y convite.

En una celebración anual muy señalada que tenía lugar en Tlaxcala, en un solo día se sacrificaban ochocientos hombres; «después llevaba cada uno los muertos que había traído vivos al sacrificio, dejando alguna parte de aquella carne humana a los ministros».

El jesuita Joseph de Acosta escribe que a un cautivo de guerra, «cuando estaba de sazón y bien gordo, llegada la fiesta, le abrían y mataban, y comían haciendo solamente sacrificio de él. Cierto, pone lástima ver de la manera que Satanás estaba apoderado de esta gente».

Con respecto a la antropofagia en tierras purépechas, fray Jerónimo de Alcalá informa que, cuando se esperaba un ataque enemigo, sacrificaban a los viejos, a los niños de brazos y a los heridos, «y cocían aquellas carnes y comíanselas».

Esta noticia nos conduce a otro capítulo de la *Relación de Michoacán,* cuyo título es muy descriptivo: «Cómo Tariácuri mandó cocer a Naca y lo dio a comer a sus enemigos». Quienes recibieron los obsequios de su carne fueron engañados al hacerles creer que era de esclavo, mas descubrieron la verdad a destiempo: dos muslos fueron un regalo, el cuerpo y las costillas otro y los dos brazos otro más; cuando conocieron la verdad, «Zurunban quedó en el patio vomitando la carne, y sus mujeres, y metiendo las manos en la boca para echarla. Y no la pudieron echar, pues ya estaba asentada en el estómago y vientre».

En su *Relación* de 1580, Juan de Tolosa Olea —yerno de Hernán Cortés— informa que la mayoría de los pueblos indígenas del actual estado de Guerrero dependían del imperio de Moctezuma y, por supuesto, pagaban sus tributos: le daban esclavos («para que los dichos mexicanos comiesen»), mantas y oro en polvo «que sacaban y lavaban de los ríos a ellos cercanos, como el río de Anecuilco y otros ríos y arroyos que por cerca de sus pueblos pasan».

Por su parte, fray Diego de Landa escribe sobre los sacrificios humanos que se practicaban entre los mayas de Yucatán. Cuando no se repartían para comerlos, los cuerpos se enterraban en el patio del templo: «Las manos, los pies y cabeza eran del sacerdote y oficiales; y a estos sacrificados tenían por santos. Si eran esclavos cautivados en guerra, su señor tomaba los huesos para sacarlos como divisa en los bailes, en señal de victoria».

CRÍMENES Y CASTIGOS

Los pueblos prehispánicos, en particular los aztecas —que son de los que más información histórica se tiene—, eran muy rigurosos en la aplicación de castigos a los delincuentes. Desde luego, la tipificación de los delitos era diferente de la del derecho positivo actual y las penas solían ser cruentas.

Motolinía relata que entre los novicios de los templos tenochcas había una especie de voto de castidad durante un cuatrienio de reclusión y la ruptura de esta promesa se pagaba a veces con la vida: «Si a alguno de estos ayunadores se le hallaba que en aquellos cuatro años tuviese ayuntamiento con mujer» lo sentenciaban a muerte. Ante todo el mundo le quebraban la cabeza con garrotes y luego lo quemaban; esparcían al aire las cenizas con objeto de que no quedara memoria del transgresor.

El franciscano español fray Andrés de Olmos (¿-1571), notable conocedor del idioma náhuatl, destaca en uno de sus escritos etnográficos información sobre los crímenes cometidos por los antiguos mexicanos y sus respectivas penalidades. Cuando realizaban aprehensiones, «mataban al que se echaba con la cautiva». Si alguno embarazaba a una esclava y ella moría en el parto, el hombre pasaba a la condición de esclavo. Una mujer que cohabitó con un borracho fue apedreada a muerte «y a él no [le] dieron pena ninguna». Otra mujer estaba robando maíz y fue sorprendida por un hombre, pero éste no la delató a cambio de poseerla. Al final se descubrió el caso, ella fue perdonada y él pasó a ser esclavo del propietario del maíz.

Fray Diego Durán agrega que otra muerte consistía en arrastrar a los sacrílegos que hurtaban cosas sagradas de los templos con una soga atada al cuello, y así los lanzaban a las lagunas. Asimismo, aporta datos sobre las formas de someter a esclavitud que tenían los indígenas y una de ellas se vincula a nuestro asunto: el homicida podía ser perdonado por la viuda de su víctima y entonces pasaba a ser esclavo de ella y de sus hijos. (Otra forma de esclavitud tenía lugar en tiempos de hambre: «Se concertaban el marido y la mujer, para suplir su necesidad y redimir su vejación. Se podían vender el uno al otro, o vendían a uno de sus hijos, si tenían de cuatro o cinco para arriba».)

El español Alonso de Zorita (1511?-¿), quien se desempeñó la mayor parte de su vida como oidor pero, paradójicamente, padecía de sordera, escribió una *Relación de la Nueva España* por la que nos enteramos que la mujer preñada que «tomaba con qué lanzar a la criatura, ella y la que se lo daba morían por ello». Igualmente el envenenador y quien le proporcionaba «la ponzoña».

«Al traidor enemigo de su república» lo llevaban a la plaza y lo desmembraban completamente: primero los labios y la nariz, después las orejas a ras del cráneo, en seguida las manos y los brazos por los codos y por los hombros, posteriormente los pies por los tobillos y las piernas por las rodillas, «luego repartían y echaban aquel cuerpo hecho pedazos por los barrios y lugares públicos para que viniese a noticia de todos, y hacían esclavos a los parientes en primer grado de aquel traidor».

Bisnieto de Nezahualcóyotl por la rama materna e hijo de español, Juan Bautista de Pomar (1527?-¿) escribió una *Relación de Texcoco* donde anota que la pena más severa que se aplicaba entre los antiguos era por traición al reino —confirmando lo dicho por Zorita— y que al culpable «lo despedazaban vivo, lo cortaban por sus coyunturas con unos pedernales agudos y tiraban, con los miembros y pedazos que cortaban, a la gente que a la mira se hallaba».

Acerca de las diferentes faltas cometidas y sus respectivas penas, fray Juan de Torquemada aumenta nuestra información. Si algún esclavo, soltero o casado, «tenía ayuntamiento con mujer esclava dentro de la casa de su señor», a ambos los mataban a pedradas fuera del pueblo, «como en la ley antigua de los judíos». Algunas veces, a ella le clavaban un palo en la garganta «o le daban garrote, y él era entregado para el ordinario sacrificio», es decir, la extracción del corazón.

Nezahualcóyotl no se andaba con rodeos frente a los agitadores que alteraban al pueblo: los «hacía morir atados a un palo de encina, a manera de asador, puestos a las llamas del fuego, donde morían rabiando». Al ladrón lo mandaba arrastrar y luego ahorcar. La borrachera la castigaba de dos maneras: al señor principal que la cometía por primera vez, «sin aguardar la segunda, lo ahorcaba», y luego arrastraban su cuerpo por las calles y lo tiraban en un río; en cambio, cuando la falta era cometida por una persona del pueblo bajo, la primera vez era vendido y la segunda ahorcado. Nezahualcóyotl argumentaba que «la culpa del caballero era mayor por su mayor dignidad, y así había de ser su castigo más riguroso que el de la gente plebeya».

Para saber de qué forma cumplían con su trabajo sus principales colaboradores, a veces se disfrazaba para poderlos observar como cualquier ciudadano, «y aun echaba quien les ofreciese cohechos a sus jueces, o los provocase a cosa mal hecha». Cuando los sorprendía en falta eran sentenciados a muerte, «y morían, sin reparo; no importaba que fuesen señores, ni deudos, ni propios hermanos suyos, porque sin remisión moría el que delinquía».

El sucesor de Nezahualcóyotl fue su hijo Nezahualpilli. Con similar rigor al que usaba su padre, decretó la muerte de uno de sus hijos por faltar a las buenas costumbres y al debido respeto. Sucedió que un día el desventurado hijo entró al palacio real, se encontró con una de las concubinas de su padre, a quien le dijo «algunas palabras livianas y no tan compuestas como se requería. La mujer, que no debía de ser de mucho seso, viéndose requebrada por el príncipe entró con su esposo y lo acusó (ya por haberse enfadado del requiebro o ya por temor de que lo supiese el rey y quedase alguna sospecha de su fidelidad). La mal considerada mujer dijo que se había atrevido en público, en presencia de sus ayos y de otros muchos que lo acompañaban». Varios testigos intercedieron por el príncipe, sosteniendo que no había reconocido a la concubina. La madre le dijo al rey «que la matase a ella también, pues se hacía carnicero de su propia sangre; que por no traspasar una liviana ley puesta en palacio, traspasaba la ley natural al ser homicida de su propio hijo». Nada salvó al joven de la muerte.

Al estilo de los primeros cronistas que sí conocieron el rescoldo del México prehispánico, el doctor Francisco Hernández incluye en su obra del siglo XVI un capítulo sobre quiénes eran castigados por las leyes y de qué manera se procedía en contra de los delincuentes. Era costumbre «rapar al juez o al senador» convicto de cohecho, o que hubiera recibido regalos de los litigantes o de los reos, y «era arrojado con gran deshonra de su asiento como indigno del consorcio de tan gran senado, lo cual era para él una pena gravísima, y casi más grave y más atroz que la misma muerte, aun cuando al fin se le cortara la cabeza».

El capitán Lucas Pinto, corregidor de Ixcateopan (hoy estado de Guerrero), en su relación de ese pueblo da a conocer algunas variantes de los castigos que se aplicaban a los diferentes delitos (no muy distintos de los que se acostumbraban en Tenochtitlán). Si la mujer era floja y descuidada y no hacía lo que el marido le mandaba, «la echaba de sí y tomaba otra, acudiendo para ello a los viejos de arriba». Castigaban con rigor a los borrachos y los ladrones. «No podía beber vino sino quien el señor señalase» y de todas las sentencias él debía presenciar el castigo.

Fray Jerónimo de Alcalá apunta en su *Relación de Michoacán,* en el capítulo «De la justicia general que se hacía» entre los purépechas, que, entre otros delincuentes, eran castigados «los que habían dejado perder las sementeras del *cazonci* por no desyerbarlas, los médicos que habían muerto a alguno, los que se iban de sus pueblos y andaban vagamundos, los que quebraban los magueyes, los esclavos desobedientes que no querían servir a sus amos», los espías, los desertores del ejército y los malhechores en general. Cuando los infractores eran reincidentes podía costarles la vida «y respondían todos que era bien hecho». Y al que era hechicero, «rompíanle la boca con navajas, y le arrastraban vivo y cubríanle de piedras, y así lo mataban».

Los mayas, de acuerdo con fray Diego de Landa, eran estrictos y en ocasiones aplicaban castigos humillantes a sus hijas. Les enseñaban con rigor cuáles eran las conductas apropiadas, las regañaban y las adoctrinaban, las hacían trabajar y las castigaban dándoles pellizcos en las orejas y en los brazos. «Si las ven alzar los ojos, las riñen mucho y se los untan con chile, que es grave dolor; y si no son honestas, las aporrean y untan con chile en otra parte, por castigo y afrenta».

BRUTALIDAD RELIGIOSA Y PROFANA. ALUCINÓGENOS

Por Motolinía nos enteramos de que en el México prehispánico las cabezas humanas se consideraban trofeos muy valiosos, especialmente las de quienes eran aprehendidos en la guerra: las desollaban con todo y cabello y las secaban para guardarlas. «Si no fuera porque tenían algunas barbas, nadie juzgara sino que eran rostros de niños de cinco o seis años.»

Los cráneos horadados por las sienes y atravesados con un cordel se colgaban de postes de madera, con agujeros transversales, que tenían levantados a un lado de los templos, llegando a contarse varios miles de calaveras en muchos postes formados en hilera como muro, llamado *tzompantli.* «En tener aquellos tendales muy llenos de cabezas mostraban ser grandes hombres de guerra y devotos sacrificadores a sus ídolos.» En ocasiones, los cráneos se colocaban en nichos de mampostería, llamada también *tzompantli.*

De acuerdo con este fraile, las cruentas costumbres de los indígenas rebasaban el ámbito de los sacrificios: cuando nacían gemelos, creían que el padre o la madre habrían de morir y, para evitarlo, con frecuencia mataban a uno de los recién nacidos.

Está plenamente documentado que Moctezuma II tenía cerca de su palacio una especie de «zoológico humano» con enanos, jorobados y otras formas teratológicas. Fray Toribio dice que «siendo niños los hacían jibosos, y los quebraban y descoyuntaban, porque de éstos se servían los señores en esta tierra como ahora hace el Gran Turco, de eunucos».

Por su parte, Sahagún informa que en cierta época del año los sacerdotes, armados con una navaja de piedra, les practicaban a los niños cortadas en el pecho, en el estómago «y en los morcillos de los brazos y en las muñecas; estas señales parece que eran como hierro del demonio, con que herraban a sus ovejas».

Las comadronas utilizaban un procedimiento quirúrgico muy dramático: «La partera que era hábil y bien diestra en su oficio, cuando veía que la criatura estaba muerta dentro de su madre, porque no se meneaba, y que la paciente estaba con gran pena, luego metía la mano por el lugar de la generación a la paciente, y con una navaja de piedra cortaba el cuerpo de la criatura y sacábalo a pedazos».

Fray Diego Durán escribe que cuando fallecía algún rey o señor principal, su familia y vasallos daban esclavos para que los mataran, y lo acompañaran y sirvieran en la otra vida. Ejecutaban también al sacerdote que había servido al rey, así como al maestresala, el copero, los jorobados y los enanos («lo cual era grandeza entre los señores: servirse de corcovados, y las señoras, de corcovadas). Mataban también a las molenderas. Enterraban con él muchas joyas de oro, plata, orejeras, bezotes, brazaletes, piedras ricas, mantas y plumas. Y si lo quemaban, juntamente quemaban a toda aquella gente que había muerto para su servicio».

La anterior información de Durán con respecto a los aztecas coincide con ésta de fray Jerónimo de Alcalá referida a los tarascos, en Michoacán. En ocasiones, las inmolaciones se realizaban para ofrecer compañía al rey o *cazonci* que acababa de morir, y su hijo decidía quiénes integrarían el cortejo, ahora sí que fúnebre: la guardiana de sus joyas, su camarera, su cocinera, la que le servía el vino y «otra que le daba agua a manos y le detenía la taza mientras bebía; otra que le daba el orinal». De los varones, uno que le llevaba sus mantas, otro su silla, otro sus hachas de cobre, otro más su sombrilla, otro su calzado, un remero, un barrendero, un portero, un platero, dos o tres «monteros», alguno de los médicos que no lo pudieron sanar, un «chocarrero», un tabernero, «otro que tenía cargo de hacerle guirnaldas de trébol, otro que llevaba sus cañutos de olores, otro que bruñía sus aposentos, un plumajero de los que le hacían sus plumajes, uno de los que le hacían sus flechas y otro sus arcos, uno que le decía novelas, que entre todos serían más de cuarenta.

»Luego chocaban con porras a toda aquella gente, que los habían emborrachado primero.» A veces, a ellos los enterraban y al rey lo incineraban; en otras, al rey lo enterraban en medio de todos los demás, de manera que no lo tocara la tierra.

En otros temas, también anota Alcalá que un sujeto hizo un tambor con la piel de un muslo humano y lo tocaba con un hueso, «y con la calavera de un hombre bebe vino, y así se ha tornado loco y mal hombre».

Es obvio que las muertes no eran siempre por motivos religiosos o judiciales. Con frecuencia eran simplemente asesinatos, como éste cometido en Michoacán. Tangaxoan emborrachó con artimañas a Curatame y luego «sacó de presto la porra y diole en el pescuezo un golpe y acogotóle e hízole caer de bruces y tornóle a dar otra vez y saltó la sangre, muy colorada, de una parte y de otra. Y quedó tendido un brazo a una parte y otro a otra, y todos los penachos que tenía en la cabeza estaban ensangrentados».

En casi todas las culturas antiguas la sangre y la violencia eran parte de sus costumbres. Quijadas humanas descarnadas como trofeo, carreras descalzos sobre brasas al rojo vivo a manera de ofrenda y otras usanzas tenían los mayas, de acuerdo con fray Diego de Landa.

La gente principal hacía estatuas de madera con la efigie de sus padres, a las cuales les dejaban un hueco. Entonces, quemaban alguna parte del cuerpo del difunto y echaban ahí las cenizas; «después le desenrollaban el cuero del colodrillo y pegábanselo allí, enterrando los residuos como tenían la costumbre». Guardaban esas estatuas con mucha reverencia entre sus ídolos.

A unos caciques les cortaron la cabeza cuando murieron y, ya cocidas, les quitaron la carne y después aserraron la mitad, «de la coronilla para atrás, dejando lo de adelante con las quijadas y dientes.

A estas medias calaveras suplieron lo que de carne les faltaba con cierto betún y les dieron la perfección, y las tenían con las estatuas de las cenizas, todo lo cual tenían en los oratorios de las casas en muy gran reverencia y acatamiento».

Mención aparte debe hacerse de los hongos alucinógenos. El fraile dominico Diego Durán alude a la ingestión que efectuaban los indios y que solía terminar en suicidio: «Salían todos de juicio y quedaban peor que si hubieran bebido mucho vino; tan embriagados y fuera de sentido, que muchos se mataban con su propia mano y, con la fuerza de aquellos hongos, veían visiones y tenían revelaciones de lo porvenir, hablándoles el demonio en aquella embriaguez».

También Motolinía aborda el tema de esta clase de hongos, que los indios comían con miel, pues son muy amargos; veían visiones, en especial culebras, «y como salían fuera de todo sentido, parecíales que las piernas y el cuerpo tenían llenos de gusanos que los comían vivos, y así medio rabiando se salían fuera de casa, deseando que alguno los matase; y con esta bestial embriaguez y trabajo que sentían, acontecía alguna vez ahorcarse, y también eran contra los otros, más crueles».

Por tratarse de un botánico más que de un historiador, Francisco Hernández hace hincapié en las bebidas embriagantes elaboradas a partir de hierbas y raíces y, sobre todo, en los hongos alucinógenos. Los indios que los comían «eran acometidos por tanta rabia, que pedían ser degollados por alguno o colgarse ellos mismos de una cuerda o atravesarse con una espada; ardían en sed insaciable y andaban excitados por ferocísima locura».

Todo queda consignado en el enciclopédico trabajo sahaguniano. Sus detalladas noticias sobre los hongos alucinógenos revelan, entre otras cosas, que esas plantas tenían una importancia en las sociedades prehispánicas mucho mayor de la que han querido reconocer los historiadores de los cuatro siglos siguientes. Los llamaban *teonanácatl*, «emborrachan y hacen ver visiones y aun provocan la lujuria».

COSTUMBRES SEXUALES Y EROTISMO

Ya hemos visto que fray Diego Durán tuvo una marcada tendencia a comparar la liturgia prehispánica con la católica y la judía, como en el caso de un ritual con los varones recién nacidos, hijos de reyes y de señores, a quienes el sacerdote azteca sacrificaba «el miembro genital, a manera de circuncisión; tomaba al niño y con una navaja de piedra que la misma madre traía le sacrificaba la oreja y la puntica del capullito de su miembrecito, dándole así en la oreja como en el lugar indicado una muy delicadita cuchillada. Todo esto demuestra haber tenido esta gente noticia de la ley de Dios y del Sagrado Evangelio».

Es innumerable la información interesante que aporta Durán. Cuando se casaba una joven se le ponía como lecho un petate nuevo «donde se manifestasen las muestras de la virginidad de ella».

Con respecto a la poligamia, no era permitida de manera generalizada, sino sólo a «todos los principales de mucha calidad y estima, a gente de valor, y no habían de tener más que las esposas que pudiesen sustentar de comer y de vestir».

Los indígenas pudientes acostumbraban bañarse en temazcales o baños de vapor, donde eran lavados por sirvientes que, asimismo, les azotaban mesuradamente con racimos de hojas de mazorca para estimular la circulación sanguínea. Por lo general, se trataba de jorobados o enanos contratados o comprados para ese fin. «Y no lo tenían por tan malo, si el marido entrase con su mujer, pero había algunas veces tanta confusión y deshonestidad que, además de andar todos revueltos y desnudos, no podría dejar de haber grandes males y ofensas a Nuestro Señor.»

Bernardino de Sahagún indagó sobre una fiesta entre los aztecas, para la cual «convidaban y apercibían para ella a los taberneros que hacían el pulque, y exhortábanlos para que hiciesen buen vino, y para esto se abstenían cuatro días de llegar a mujer ninguna, porque si no el vino que hiciesen se había de acedar y estragar».

En el mes dedicado al dios de la lluvia, todo el pueblo preparaba ofrendas para Tláloc y cuatro días hacían penitencia, «y absteníanse los hombres de las mujeres y las mujeres de los hombres».

Fray Marcos de Niza añade que los antiguos texcocanos «usaban de tanta continencia», que los viudos no volvían a tener mujer. Otros grupos indígenas del centro del país «amaban mucho a las mujeres mexicanas [aztecas], porque ellas eran las más hermosas y las más corteses, como lo son ahora».

Fray Andrés de Olmos precisa que las viudas sólo se podían casar con el hermano del esposo muerto.

Es bien sabido que los pueblos mesoamericanos eran mucho más limpios que los europeos, quizá porque en el Viejo Continente los fríos son más intensos que en estas latitudes de América. En todo caso, un yerno de Cortés, Juan de Tolosa, no oculta su azoro frente a la higiene de nuestros indígenas: «Se van al río y se bañan, porque su cura de ellos es el bañar; y las indias ni más ni menos recién paridas se van al río y se bañan, o si están con su regla, y a esta causa viven menos que las demás de otras provincias y mueren muchos porque aunque ellos se curan después con algunas sangrías y purgas, antes les es dañoso».

El historiador fray Juan de Torquemada resalta la castidad de los sacerdotes prehispánicos: «De aquí queda sabido cómo el Demonio, no por ser limpio, sino por imitar en alguna manera a Dios en su limpieza, ha querido que sus ministros lo sean y se abstengan de semejantes actos sexuales».

Francisco López de Gómara (1511-1566?), capellán de Hernán Cortés en la expedición a Argel, habla en su *Historia general de las Indias* del México prehispánico y de las costumbres de sus pobladores. Entre ellas estaba la de ciertos ritos previos al matrimonio, como sangrarse los novios «para ofrecer la sangre al dios de las bodas»; la primera noche estrenaban un petate y al día siguiente lo llevaban a ofrecer al templo «con la sangre que el novio había sacado a la novia y la que entre ambos se sangraron». Las mujeres destinadas al servicio de los templos debían conservar su virginidad y en caso contrario «creían que se les habían de pudrir las carnes».

Las indígenas «[se] casan de diez años y son lujuriosísimas. Paren pronto y mucho. Presumen de grandes y largas tetas, y así, dan leche a sus hijos cargados por las espaldas. Se curan unas a otras con hierbas, no sin hechicerías, y así abortan muchas en secreto».

En contraste, Juan Bautista de Pomar ofrece un dato de Texcoco que pareciera contradecir la versión anterior: «Procuraban que los mozos, cuando viniesen a tener parte con mujeres o casarse, tuviesen edad perfecta, y lo mismo las mujeres, porque decían que si usaban de los actos venéreos en edad tierna y muy juvenil, impedían a la naturaleza».

Continúa Gómara informando que, en Pánuco, «no duermen con las mujeres después de paridas en dos años, para que no se vuelvan a preñar antes de haber criado a los hijos, aunque maman doce años».

En Michoacán —dice fray Jerónimo de Alcalá—, el hijo primogénito de un rey muerto «casábase con todas aquellas mujeres que habían sido de su padre y andando el tiempo le metían en su casa a otras hijas de caciques y señores».

Los reyes purépechas acostumbraban que las mujeres que les servían la comida «traían los pechos de fuera». El *cazonci* también «tenía sus baños calientes donde se bañaba con sus mujeres, todos juntos».

Algunas costumbres de ese pueblo, en materia matrimonial,

eran muy singulares: «Otros se casaban por amores, sin dar parte a sus padres, y concertábanse entre sí. Otras desde chiquitas las señalaban para casarse con ellas. Otros tomaban primero a la suegra, siendo la hija chiquita, y después que era de edad la moza, dejaban a la suegra y tomaban a la hija, con quien se casaban. Otros se casaban con sus cuñadas, muertos sus maridos». Nótese que no había incesto, pues esos matrimonios no eran entre consanguíneos.

Según fray Diego de Landa, las indígenas mayas hacían las veces de nodriza con los pequeños venados: «Dan el pecho a los corzos, con lo que los crían tan mansos que no saben írseles al cerro jamás, aunque los lleven y traigan por los montes y críen en ellos».

Por cierto que Landa abunda en las dotes lácteas de aquellas indias: «Son muy fecundas y tempranas en parir, y grandes criadoras, por dos razones: una, porque la bebida de las mañanas que beben caliente cría mucha leche [atole]; y el continuo moler maíz y no traer los pechos apretados les hace tenerlos muy grandes, de donde les viene tener mucha leche».

No parecen muy científicas estas reflexiones del franciscano. En cambio, sí lo son —y mucho, en términos de alergología contemporánea— las que siguen: «Mamaban mucho los niños porque nunca dejaban, pudiendo, de darles leche aunque fuesen de tres o cuatro años, de donde venía haber entre ellos tanta gente de buenas fuerzas».

La condición clerical de Landa no le quitaba objetividad en algunas materias seculares: «Las indias de Yucatán son en general de mejor disposición que las españolas, y más grandes y bien hechas; no son de tantos riñones como las negras».

Los mayas veían sin prejuicios la pubertad de sus hijas, aunque antes de esa etapa utilizaban una especie de cinturón de castidad; cuando ya eran casaderas, «iban sus madres a quitarles el hilo con que habían andado atadas por los riñones hasta entonces, y la conchuela que traían en la puridad, lo cual era como una licencia para poderse casar».

Por su parte, Lucas Pinto anota que en lo que hoy es el estado de Guerrero, las solteras y las viudas tenían autorización para relacionarse íntimamente con el hombre que quisieran y «aunque no fueran castas, no tenían pena alguna».

PROSTITUCIÓN
Y HOMOSEXUALIDAD

El índice de la enciclopédica *Historia* de Bernardino de Sahagún es en sí todo un documento informativo. Valga a título de ejemplo el libro décimo: «De los vicios y virtudes de esta gente indiana». El capítulo XV versa sobre «muchas maneras de malas mujeres. De las mujeres públicas, mujer adúltera, de la hermafrodita; alcahueta».

A las prostitutas las identificaban, entre otras características, porque mascaban chicle (que es la savia del chicozapote) en todas partes, «sonando las dentellas como castañetas. Las otras mujeres que no son públicas, si lo mismo hacen, no dejan de ser notadas de malas y ruines». Las causas de ese hábito eran «para echar la reuma y porque no hieda la boca».

Y agrega fray Bernardino, con base en sus informantes indígenas: «La puta comienza desde moza y no lo deja siendo vieja, anda como borracha y perdida, es mujer galana y pulida, desvergonzada; muy lujuriosa, habladora y muy viciosa en el acto carnal; báñase, lávase muy bien y refréscase para más agradar; a las veces se pone colores o afeites en el rostro, por ser perdida y mundana. Tiene también de costumbre teñir los dientes con grana, y soltar los cabellos para más hermosura, y después andarse pavoneando, como mala mujer, disoluta e infame. Y por los deleites en que anda de continuo sigue el camino de las bestias, júntase con unos y con otros».

La mujer que tiene dos sexos, o sea la hermafrodita, «que tiene natura de hombre y natura de mujer, es monstruosa, tiene muchas amigas y criadas, y tiene gentil cuerpo como hombre, anda y habla como varón y es vellosa; usa de entrambas naturas; suele ser enemiga de los hombres porque usa del sexo masculino».

En fin, entre los rufianes, embaucadores, «homicianos», traidores, «chocarreros», ladrones y alcahuetes, aparecen los homosexuales: «El somético paciente es abominable, nefando y detestable, digno de que le hagan burla y se rían las gentes, y el hedor y fealdad de su pecado no se puede sufrir, por el asco que da a los hombres; en todo se muestra mujeril o afeminado, en el andar o en el hablar, por todo lo cual merece ser quemado». Desde luego, vale recordar que, aunque el texto es de Sahagún y algo pondrá de su cosecha, lo que estamos escuchando es la voz de la sociedad prehispánica de principios del siglo XVI.

Marcos de Niza relata que un rey de Texcoco «hizo morir a dos hombres que abusaron uno del otro y ordenó que todos aquellos que fueran encontrados en tal acto, fueran muertos.»

Andrés de Olmos aporta lo suyo: «Aconteció que dos mujeres se echaron la una con la otra y apedreáronlas junto a Atzcapotzalco», aunque la norma era que «si una mujer se echaba con otra, las mataban ahogándolas con garrotes».

Francisco López de Gómara dice que entre los hombres había «el vicio de la carne, en el que mucho se deleitan; se dan muchísimo a la carnalidad, así con hombres como con mujeres, sin pena ni vergüenza».

Alonso de Zorita anota que los homosexuales eran muertos por tener esa inclinación; «teníanla por grave pecado y decían que no la veían ni en los animales brutos». El hombre que andaba vestido como mujer o la mujer como hombre recibían pena de muerte, aunque en dos o tres provincias lejos de Tenochtitlán «casi se permitía el pecado nefando porque el demonio les hizo creer que entre sus dioses se usaba y era lícito». La «perversión de bestialidad no se halló jamás entre ellos» (es decir, la zoofilia).

Aunque es casi seguro que el doctor Francisco Hernández jamás probó los hongos alucinógenos, sí transmite una alarmante versión:

«En verdad, el premio mayor de estas pociones era la insania, arrebatados por la cual o se mataban a sí mismos o a los que encontraban. ¡Qué digo!, a veces, sin diferencia alguna, acometían hasta a las madres, hermanas e hijas para forzarlas y, si no las tenían, abusaban de varones».

En sus *Antigüedades,* leemos que había diversas maneras de llegar a la esclavitud, una de ellas al alcance de las prostitutas: «Las meretrices que ya comenzaban a envejecer, deformes o valetudinarias, recurrían a una esclavitud espontánea porque ya no recibían de sus galanes el premio de su liviandad».

A través de los escritos de Juan Bautista Pomar sabemos que «los que cometían el pecado nefando eran sin remisión muertos, y era tan abominado entre ellos este delito, que la mayor afrenta y baldón que uno podía hacer a otro era llamarlo *cuilón,* que quiere decir 'puto' en nuestra lengua».

Sobre el mismo asunto de la homosexualidad, precisa el fraile Torquemada: «Es el más grave de todos los pecados que se pueden llamar bestiales; porque si este acto normalmente es en orden de la generación, ya se ve que la misma ley natural enseña que no es lícito cuando de él no se sigue el fin que la naturaleza pretende».

Impresionante era la costumbre de los juguetes sexuales vivos que algunos señores con recursos obsequiaban a sus hijos varones: «Persuadidos, pues, de que no era pecado, nació la costumbre de los padres de dar a sus hijos mancebos un niño para que lo tuviesen por mujer y usasen de él, como podían usar de ellas; y de aquí también nació la ley de que si algún otro llegaba al muchacho, lo condenaban a las mismas penas en que incurría el que violaba el matrimonio conyugal».

Quizá por el hallazgo de colosales huesos prehistóricos de mamuts, corría la conseja de que antiguamente existieron gigantes; su final, de acuerdo con esta versión recogida por nuestro autor, estuvo vinculado a la sodomía que practicaban (como entonces le llamaban, en recuerdo de Sodoma, la ciudad pervertida). Aquellos hombres, «haciendo pecados enormes, y especialmente usándolo contra natura, fueron abrasados y consumidos con fuego que vino del Cielo».

El rey Nezahualcóyotl de Texcoco no tenía miramientos frente al «pecado nefando»; a los hombres que lo cometían los castigaba de diferente manera: al pecador «paciente, lo mandaba atar a un madero grueso, y le hacía sacar las entrañas por donde fue paciente, y los muchachos de la ciudad lo cubrían de ceniza, hasta que quedaba enterrado en ella, y luego echaban sobre la ceniza leña, y le pegaban fuego; al pecador agente lo cubrían de ceniza todo, y enterrado en ella moría».

VIOLACIONES Y ESTUPROS, INCESTOS Y ADULTERIOS

Los aztecas, de acuerdo con Sahagún, eran muy afectos a los agüeros, las predicciones y la astrología. Decían que los nacidos bajo el decimoquinto signo del año tendrían muy adversa fortuna: «Los hombres habían de morir de mala muerte, y todos esperaban su mal fin; caerían en algún adulterio y así les matarían juntamente con la adúltera, machucándoles las cabezas a ambos, juntos».

Andrés de Olmos da la versión de que el adulterio entre los aztecas se castigaba matando públicamente a pedradas a los dos transgresores. Un marido ofendido quitó la vida al adúltero y a ella la perdonó; al ser descubiertos, fueron matados ambos cónyuges. El incesto era castigado «con garrote y echada una soga al pescuezo» de los dos involucrados, hasta la muerte.

Alonso de Zorita aclara que en el caso de los adúlteros, anteriormente los apedreaban, «aunque después se mudó esta pena y los ahorcaban». También era sentenciado a muerte el que «hacía fuerza» a alguna mujer virgen.

Cierta contradicción se observa entre Zorita y otros autores, al señalar aquel que se ejecutaba a un marido si, por su propia mano, mataba a su mujer adúltera, aunque la encontrase con otro, porque decían que usurpaba a la justicia. Sólo quien tenía la autoridad podía condenarla «y si no había más que indicios, dábanles tormento».

El que tenía relaciones íntimas con su madrastra o con su hermana, o el padrastro con su hijastra, recibían la pena de muerte, y lo mismo los que cometían incesto «en grado de consanguinidad o afinidad», salvo cuñados y cuñadas. Cuando uno moría, «las mujeres que dejaba las tomaba el hermano».

Fray Diego Durán precisa que la pena de muerte se aplicaba en diversos casos: se apedreaba a los adúlteros y echaban sus cuerpos fuera de la ciudad para que los devoraran los perros y zopilotes; otro castigo mortal era para los «fornicarios» con una mujer virgen dedicada al trabajo en el templo, o con «hijas de honrados padres», o con parientas, y consistía en morir apaleados y quemados, echando las cenizas al aire para que se perdiera su memoria.

Ejecutaban con gran rigor los castigos previstos por la ley sin excepción de personas; aun a sus propios hijos no los dispensaban. Juan Bautista de Pomar recoge la noticia de que a un hijo de Nezahualpiltzintli, señor de Texcoco, por «echarse con una mujer de las de su padre, fueron muertos ambos». Y la mujer principal del mismo rey «también fue muerta por adúltera y con ella todos los que se hallaron» involucrados en el delito.

Generalmente a los adúlteros y las adúlteras daban muerte «con una losa que les dejaban caer sobre la cabeza, haciéndola plasta. Y lo mismo daban muerte con una losa sobre la cabeza al que forzaba doncella o viuda, si no era mujer de amores».

Fray Juan de Torquemada abunda sobre estos temas. Si un casado pecaba con viuda o con casada, los castigaban una y hasta dos veces, sin matarlos; les ataban las manos por la espalda «y suspendíanlos en el aire, y levantados del suelo, poníanles debajo cierta hierba ofensiva, y de mal olor, a la cual ponían fuego, y dábanles con el humo por un grande rato»; y si no se enmendaban y reincidían, lo pagaban con su vida.

En relación con las costumbres indígenas correspondientes a la región de Chiapas y Guatemala, este franciscano nos revela muy extrañas usanzas. Afrontar algunos delitos era relativamente barato. Al que cometía fornicación con viuda o esclava, «condenábanle en sesenta plumas de las ricas y preciadas, y otras veces en ciento», de acuerdo con los agravantes de la culpa cometida; también se extendía este tipo de sentencia a otras cosas de valor, como eran cacao y mantas. Al que fornicaba con mujer casada, era condenado a pagar la pena de cien plumas; «pero si la culpa era frecuente, y muchas veces cometida, dábanles garrote a ambos». Cuando algún casado cometía este delito «con doncella, teníanlo por grande afrenta sus deudos y parientes; y disimulábanlo, encubriendo el pecado, por la infamia que de saberse seguía, y porque la moza no perdiese la oportunidad de casamiento; pero si no se guardaba el secreto y se ponía la causa en manos de la justicia, condenaban al adúltero en cien plumas, que era la pena».

Lucas Pinto anota que, en Ixcateopan, si sorprendían a una pareja en adulterio, «los prendían a ambos y los echaban en el suelo, y les ponían a cada uno una piedra debajo de la cabeza, y con otra les daban hasta que los mataban». A otros les cortaban las narices y todos sus bienes y hermanas se los daban al marido de la adúltera.

En Michoacán, reseña Alcalá, el marido engañado cortaba las orejas a su esposa y al adúltero. Si el ofendido era el *cazonci* o rey, mandaba matar al atrevido y a toda su familia y a las personas que vivieran en su casa, por traidores. «Y tomábanle toda su hacienda y todas sus sementeras y era todo para la cámara y fisco del *cazonci*.»

De la mano con los estrictos castigos, había entre los tarascos cierto código de conducta expresado en forma de recomendaciones, como ésta: «Hija, no dejes a tu marido echado de noche y te vayas a otra parte a hacer algún adulterio».

En Yucatán, apunta Landa, los castigos en contra de los hombres que alteraban la fidelidad conyugal y en contra de los violadores tenían cierta similitud con los acostumbrados en el centro del país. Al adúltero lo entregaban al ofendido para que «le matase soltándole una piedra grande desde lo alto sobre la cabeza, o lo perdonase si quería; y a las adúlteras no daban otra pena más que la infamia, que entre ellos era cosa muy grave». En otra versión recogida por el fraile se atribuía como castigo «sacar las tripas por el ombligo a los adúlteros».

Al que forzaba sexualmente a una joven lo mataban a pedradas. Se cuenta el caso de un cacique que tenía un hermano acusado de este crimen y, sin embargo, le hizo apedrear y después cubrir con un gran montón de piedras.

Entre los chichimecas, anota Sahagún, a los adúlteros los mataban con arco, disparándoles cuatro flechas cada hombre de la comunidad a la que pertenecían.

TRADICIONES SEXUALES. AFRODISIACOS. ESCATOLOGÍA

No obstante la rigidez de los principios morales prehispánicos y la dureza para castigar sus desviaciones (como el adulterio y la homosexualidad), muestran en cambio aquellos pueblos una gran liberalidad en sus tradiciones y leyendas, como en esta que recogió Sahagún, el investigador franciscano.

Se refiere a Titlacahuan, quien apareció en Tula como un indio forastero *(toueyo),* «desnudo todo el cuerpo como solían andar aquéllos de su generación»; andaba vendiendo chiles en el mercado, instalado frente al palacio real. Huémac, señor de los toltecas, tenía una hija muy hermosa quien «miró hacia el tianguis y vio al *toueyo* desnudo, y el miembro genital. Y después de haberlo visto, entróse en palacio y antojósele el miembro de aquel *toueyo,* de que luego comenzó a estar muy mala por el amor de aquello que vio; hinchósele todo el cuerpo». Cuando Huémac supo cuál era la enfermedad de su hija y el supuesto origen, ordenó traer a su presencia al responsable, a quien le dijo: «Vos antojaste a mi hija, vos la habéis de sanar. Y luego tomáronle para lavarle y trasquilarle, y durmió con la dicha hija, que luego fue sana y buena; y de esta manera fue yerno del dicho señor Huémac».

Un capítulo de la *Historia* de Sahagún aborda las tradiciones relativas a «la diosa de las cosas carnales, otra Venus; bien significa a todas las mujeres que son aptas para el acto carnal. Tenía poder para provocar la lujuria y para favorecer los torpes amores».

Con atributos similares aparecen en ese libro diversos animales, como caracoles terrestres y víboras afrodisiacas a las que el buen fraile hacía injusta publicidad: «De la carne de éstas usan los que quieren tener potencia para tener cuenta con muchas mujeres; los que la usan mucho, o toman demasiada cantidad, siempre tienen el miembro armado y siempre despiden simiente; podrán tener acceso a cuatro y a cinco y a más mujeres, con cada una cuatro o cinco veces, y los que esto hacen se vacían de toda la sustancia de su cuerpo y se secan, deshechos y chupados; y andando de esta manera al fin mueren en breve tiempo, con gran fealdad y desemejanza de su cuerpo y de sus miembros».

Los informantes de Sahagún le transmitieron una curiosa conseja popular. Decían que la mujer preñada, si mascaba chicle, moría por ello la criatura, y si su madre «saca de presto la teta de la boca, lastímase el paladar y luego queda mortal» el niño.

Según la tradición de Texcoco que nos transmite fray Marcos de Niza, así procreó la primera pareja: «El hombre no tenía cuerpo, sino de los sobacos para arriba, ni tampoco la mujer, y engendraron metiendo él la lengua en la boca de la mujer».

Anotemos, con el fraile Durán, las turbias causas que provocaron la salida de Quetzalcóatl de la ciudad de Tula, de acuerdo con la tradición prehispánica: «La principal por la que el santo varón se fue había sido porque estos hechiceros, estando él ausente de su retraimiento, con mucho secreto le habían metido dentro a una ramera, que entonces vivía muy deshonesta». Cuando regresó a su habitación, encontró allí a la prostituta y sus discípulos pensaron que él la había introducido. «De lo cual, como era tan casto y honesto, fue grande la afrenta que recibió y luego propuso su salida».

No es esta noticia del oidor Alonso de Zorita la primera que tenemos acerca de una escatológica costumbre. En algunas regiones los indios eran tan afectos al pulque, que muchas veces «beben hasta emborracharse y se matan unos a otros y cometen muy grandes vicios y pecados, y en algunas partes remotas, cuando están tan llenos que no pueden beber más, se lo hacen envasar por el asiento».

De paso anotemos que la voracidad de los zopilotes impresionaba a Zorita —¡y a quién no!—, pues cuando encontraban algún cadáver, animal o humano, lo devoraban hasta dejar los huesos limpios. Y cuenta de un caso en el que no estaba «el indio acabado de morir, y cercado de auras, algunas lo comenzaban a comer, y el desventurado, bullendo con los pies y manos, no le valía ni aprovechaba». Las aves carroñeras se lo comieron vivo.

LA CONQUISTA

SACRIFICIOS HUMANOS

Juan Díaz, capellán o sacerdote de la armada encabezada por Juan de Grijalva en 1518, la misma que exploró las costas desde Yucatán hasta Veracruz (un año antes lo había hecho Francisco Hernández de Córdova y un año después lo haría Hernán Cortés, al iniciar la conquista de México), escribió un *Itinerario* de aquel viaje. En la expedición de Grijalva encontraron la isla de Sacrificios, frente al actual puerto de Veracruz, y en ella vieron que «había dos indios de poca edad muertos y envueltos en una manta pintada; y tras las ropas había otros dos»; los primeros tenían unos veinte días de sacrificados y los últimos no más de dos. También hallaron «muchas cabezas y huesos de muerto y algunas piedras anchas sobre las que mataban a los dichos indios».

Cerca del río Tonalá —límite actual entre Veracruz y Tabasco—, los españoles descubrieron a unos indios que «habían traído a un mozo y le sacaban el corazón, y lo degollaban ante el ídolo». Al llegar a ese lugar, vieron una sepultura con dos cadáveres frescos de jóvenes que «tenían ciertas cadenas con pinjantes en el cuello» y estaban amortajados con mantas de algodón.

Hernán Cortés (1485-1547) somete la capital azteca en 1521 y continúa el avance por el resto del imperio derrotado, hasta 1524. En sus *Cartas de relación* informa al rey de España sobre la Conquista y éste lo nombra marqués del Valle de Oaxaca. En dichas cartas menciona el tema de los sacrificios humanos: «Todas las veces que alguna cosa quieren pedir a sus ídolos, toman muchas niñas y niños y aun hombres y mujeres de mayor edad, y en presencia de aquellos ídolos los abren vivos por los pechos y les sacan el corazón y las entrañas, y los inciensan, ofreciéndoles en sacrificio aquel humo».

El número de sacrificios humanos que realizaron los indios prehispánicos en honor a sus dioses probablemente fue menor que los millones de indígenas muertos por los españoles durante la conquista de México y sus confines, también en nombre de su propia religión. Cortés asegura que de aquellos sacrificios «se hacían tantos y en tanta cantidad que es cosa horrible de oír; porque se ha averiguado que sólo en el Templo Mayor, en una sola fiesta de las muchas que hacían cada año a sus ídolos, se mataban ocho mil ánimas en sacrificio de ellos». Sin duda es una exageración: ello significaría un promedio de más de cinco sacrificios por minuto, día y noche.

He aquí una fúnebre receta sobre la forma de elaborar algunos ídolos, a escala mayor que la del cuerpo humano: los hacían de masa «de todas las semillas y legumbres que ellos comen», molidas y mezcladas unas con otras, y amasada con sangre humana proveniente de los sacrificios. Y después de fabricados los ídolos, «les ofrecían corazones, que asimismo les sacrificaban, y les untaban la cara con la sangre». En otras fuentes —como Durán— se lee que, en ciertas festividades, los sacerdotes indígenas rompían trocitos de esas imágenes y se lo daban a comer a la gente del pueblo, a manera de comunión (para usar la palabra que el propio fraile utiliza).

Para los *naturales* (o sea, los que nacieron en tierras americanas) resultaban trofeos de especial atractivo los caballos y los propios españoles. En Texcoco, los invasores encontraron en los adoratorios de la ciudad «los cueros de cinco caballos con sus pies y manos y herraduras cosidos, y tan bien adobados como en todo el mundo lo pudieran hacer». Por supuesto que era una ofrenda en señal de victoria, así como ropa y otras cosas arrebatadas a los españoles y ofrecidas a sus ídolos, «y hallamos la sangre de nuestros compañeros y hermanos derramada y sacrificada por todas aquellas torres y mezquitas; fue cosa de tanta lástima, que nos renovó todas nuestras tribulaciones pasadas».

En otro templo indígena encontraron en sus oratorios «las caras propias de los españoles desolladas, digo los cueros de ellas, curados de tal manera que a muchos se reconocieron». En otro lugar, llegaron a una torre pequeña con ídolos «y en ella hallamos ciertas cabezas de los cristianos que nos habían muerto, que nos pusieron harta lástima».

Bernal Díaz del Castillo (1492?-1580?), soldado de Cortés y principal cronista de su expedición, en su *Historia verdadera de la conquista de la Nueva España* aborda numerosas veces el tema de las inmolaciones, desde la isla de Sacrificios frente a Veracruz, donde encontraron a cinco indios: «Estaban abiertos por los pechos y cortados los brazos y los muslos»; después, en la entonces isleta que nombraron San Juan de Ulúa (hoy península), «tenían sacrificados de aquel día dos muchachos, y los corazones y sangre ofrecidos a aquel maldito ídolo».

A los indígenas los impresionaban sobremanera los cadáveres de caballos y de sus jinetes barbados, a quienes llegaron a considerar semidioses. Por ello, en Calpulalpan encontraron en un templo mucha sangre de los españoles que mataron untada en las paredes y rociada en los ídolos; también descubrieron «dos caras que habían desollado y adobado los cueros, como pellejos de guantes, y las tenían con sus barbas puestas y ofrecidas en uno de sus altares». Asimismo, había «cuatro cueros de caballos, curtidos, muy bien aderezados, que tenían sus pelos y sus herraduras, y estaban colgados en su templo».

Un fenómeno natural, hoy bien explicado, dejó pasmado a Bernal: «En una de aquellas casas estaban unas vigas puestas en lo alto, y en ellas había muchas cabezas de nuestros españoles que habían muerto y sacrificado en las batallas pasadas, y tenían los cabellos y las barbas muy crecidas, mucho mayores que cuando estaban vivos, y no lo habría yo creído si no lo viera».

Para desalentar las alianzas de pueblos indígenas con los españoles, Cuauhtémoc les envió «pies y manos de nuestros soldados, y caras desolladas con sus barbas, y las cabezas de los caballos que mataron, y les mandaron decir que ya estábamos muertos más de la mitad de nosotros, y que presto nos acabarían, y que dejasen nuestra amistad».

Nada más comprensible que pueblos avasallados duramente —como los tlaxcaltecas— por otro pueblo imperial —el azteca— se aliaran con los españoles en contra de su tirano. Asegura este importante historiador improvisado que cada año les demandaban los mexicas a sus súbditos muchos hijos e hijas para sacrificar y para servir en sus casas y sembradíos; recibieron otras muchas quejas, «que fueron tantas, que ya no me acuerdo; y los recaudadores de Moctezuma les tomaban sus mujeres e hijas si eran hermosas».

En Tenochtitlán vieron de lejos cómo los aztecas llevaban por la fuerza, gradas arriba de un templo, a sus compañeros españoles que habían apresado; los llevaban a sacrificar: «Vimos que a muchos de ellos les ponían plumajes en la cabeza y los hacían bailar delante de Huitzilopochtli».

Otro conquistador, Andrés de Tapia, subordinado de Hernán Cortés, es uno de los diez combatientes que dejaron crónicas escritas de aquella guerra. Aun antes de llegar a la capital de México, los españoles no entendían por qué Moctezuma no derrotaba en definitiva a los de Tlaxcala, si es que era tan poderoso el ejército tenochca, como todos informaban. Tapia explica en su *Relación* que si los aztecas acababan con esos enemigos, los soldados no tendrían un campo de batalla cercano para ejercitarse; además, decían, «también queríamos que siempre hubiese gente para sacrificar a nuestros dioses». Esas guerras para tomar prisioneros destinados al sacrificio se llamaban *guerras floridas*.

En el Templo Mayor de México, este soldado escritor se asombró ante el ornato simbólico a base de cráneos empotrados en la construcción, «con los dientes hacia fuera». Otros estaban ensartados en palos verticales. «Y quien esto escribe y un Gonzalo de Umbría contaron los palos que había, y hallamos haber ciento treinta y seis mil cabezas, sin las de las torres.»

Francisco de Aguilar (1480?-1571), soldado de Hernán Cortés, en 1529 prácticamente se convierte y decide ingresar como fraile a la orden de los dominicos, con medio siglo a cuestas. Escribió una *Relación breve de la Conquista.* Fue testigo ocular de la apariencia de los sacerdotes indígenas, aunque no creemos que haya espulgado a ninguno: «Andaban muy sucios, tiznados y muy marchitos, y consumidos los rostros. Traían unos cabellos muy largos hasta abajo trenzados, y se cubrían con ellos, y así andaban cargados de piojos». Agrega que «hacían grandísima penitencia porque se sangraban de la lengua y de sus brazos y piernas, y de lo que Dios les dio, hasta desangrarse, y con esta sangre sacrificaban a sus dioses. No podían llegar a mujeres, porque luego eran muertos por ello».

Gonzalo Fernández de Oviedo (1478-1557), cortesano desde niño, gobernador de Cartagena de Indias donde sufrió un cruento atentado a cuchilladas, aunque nunca puso un pie en ninguna universidad, se dio tiempo para escribir quince obras, entre ellas *Sucesos y diálogo de la Nueva España.* Es de dudarse, como se afirma en este texto, el sacrificio tlaxcalteca de veinte mil prisioneros (si un sacrificio humano consistía por lo general en la extracción del corazón y su ofrecimiento a los dioses, podemos considerar que duraba —por muy rápido que fuera— unos tres minutos; entonces el sacrificio de veinte mil víctimas tardaría cuarenta y dos días, trabajando sin parar día y noche).

Adelantemos otras exageraciones del autor en la misma materia. Cuando Moctezuma supo la noticia de la matanza de Cholula, tuvo mucho temor y, según Oviedo, aquel día ordenó que se sacrificaran cinco mil personas «para festejar y aplacar a sus dioses, o al diablo, con aquella sangre, y muchos areitos».

Para este historiador, Cuauhtémoc no se quedaba atrás en la imposible velocidad de las matanzas. Cuando defendía Tenochtitlán, hizo «apercibir a sus gentes para la defensa e hizo muchos sacrificios a sus dioses, y en especial a su dios de la guerra, y sacrificó aquel día cuatro mil muchachos o más, y cuatro españoles que tenían vivos en una jaula».

Durante el sitio a la ciudad de México, en cierta ocasión en que Cortés se atrevió a pasar una acequia, «le tomaron treinta españoles vivos y los sacrificaron en un templo muy alto; y faltó poco para prenderle a él con ellos».

Antonio de Solís (1610-1686), poeta y dramaturgo, secretario del rey Felipe IV, jesuita las últimas dos décadas de su vida, apunta en su *Historia de la conquista de México* que, en «Zulepeque», Gonzalo de Sandoval encontró a viejos camaradas suyos. Halló un rótulo en la pared, escrito con carbón, que decía: «En esta casa estuvo preso el sin ventura Juan Yuste con otros muchos de su compañía». Y vieron poco después en el adoratorio las cabezas de los mismos españoles «maceradas al fuego para defenderlas de la corrupción: pavoroso espectáculo que, conservando los horrores de la muerte, daba nueva fealdad a los horribles simulacros del demonio».

ANTROPOFAGIA

La antropofagia que se practicaba en México durante la época prehispánica era sobre todo de carácter ritual. Durante la Conquista, los invasores tuvieron numerosas ocasiones de conocerla, de seguro también con un sentido simbólico en la mayoría de los casos. No obstante, en otros, Hernán Cortés da su versión; hay tres ejemplos que resaltamos. El primero, después de una victoria, se refiere a sus aliados indígenas: «Aquella noche tuvieron bien que cenar nuestros amigos, por todos los que se mataron, tomaron y llevaron hechos piezas para comer».

Acerca de unos otomíes que huían de Cortés, dice éste: «Por el camino que llevaban, en pos de ellos se hallaban muchas cargas de maíz y de niños asados que traían para su provisión, los cuales habían dejado porque habían sentido ir a los españoles tras ellos».

Por último, en cierto momento, un español halló a un indio comiendo un pedazo de carne de otro que habían matado; Cortés dio una sentencia terrible y fue ejecutada ante el cacique del pueblo: «En presencia de aquel señor le hice quemar, dándole a entender la causa de aquella justicia».

Bernal Díaz del Castillo afirma que, en Cempoala, cada día sacrificaban frente a ellos tres o cuatro indios, sacándoles los corazones, «y la sangre pegaban por las paredes, y cortábanles las piernas y los brazos y los muslos, y los comían como vaca que se trae de las carnicerías en nuestra tierra, y aun tengo creído que los vendían por menudeo en los tianguis».

En Tenochtitlán, a los cautivos «las caras desollaban, y con sus barbas las guardaban para hacer fiestas con ellas cuando hacían borracheras, y se comían las carnes con *chilmole,* y de esta manera sacrificaron a todos los demás, y les comieron las piernas y brazos, y los corazones y sangre ofrecían a sus ídolos, y las barrigas y tripas echaban a los tigres y leones y sierpes y culebras que tenían en la casa de las alimañas». Ciertamente Moctezuma, a la sazón ya muerto, había conformado un notable zoológico privado.

Denuncia Bernal una barbacoa humana que hicieron rumbo a las Hibueras, según él, ciertos caciques de México de los que Cortés llevó consigo a ese viaje; traían escondidos dos o tres indios disfrazados con trajes como los que usaban ellos, «y con el hambre, en el camino los mataron y los asaron en hornos que para ello hicieron debajo de la tierra, con piedras, como en sus tiempos lo solían hacer, y se los comieron»; de acuerdo con esta versión, asimismo habían atrapado a dos guías que huyeron, y se los comieron. Cortés mandó llamar a los jefes mexicanos «y riñó malamente con ellos».

El Conquistador Anónimo no percibió la connotación religiosa que por lo general tenía la antropofagia en el pueblo azteca: «Todos los indios de esta provincia de la Nueva España, y aun los de otras provincias vecinas, comen carne humana y la tienen en más estima que a cualquier otro alimento, tanto que muchos van a la guerra y ponen sus vidas en peligro sólo por matar a uno y comérselo».

Acerca de la antropofagia del propio Moctezuma, Gonzalo Fernández de Oviedo describe a su manera, que parece muy exagerada, los banquetes imperiales. Cuando quería comer «aquel príncipe grande», le llevaban agua para lavarse las manos hasta veinte mujeres, «las más queridas y más hermosas», y estaban de pie en tanto que él comía; y un mayordomo o maestresala coordinaba la ceremonia de llevarle tres mil platos o más de diversos manjares de gallinas, codornices, palomas, tórtolas y otras aves, y algunos platos «de muchachos tiernos guisados a su modo», todo con mucho chile; él comía de lo que quería. Cuando ya había acabado de comer, se volvía a lavar las manos; «y las mujeres se iban a su aposento, donde eran muy bien servidas».

De acuerdo con este historiador, así amenazaban los indígenas a los españoles, haciendo referencia al apóstol Santiago, que supuestamente protegía en persona al ejército conquistador: «Si no tuviésemos miedo de ese del caballo blanco, ya vosotros estaríades cocidos, aunque no valéis nada para comeros, porque los cristianos que tomamos ese otro día, los cocimos y amargaban mucho; mas echaros hemos a las águilas y leones, que os coman por nosotros».

Una de las etapas más negras de México fue el gobierno de la primera Audiencia. Su presidente inicial fue el crudelísimo conquistador Nuño de Guzmán (mandaba «azotar, quebrar los dientes y clavar la lengua») y uno de los oidores fue Diego Delgadillo. Hermano suyo y de la misma calaña fue Juan Peláez de Berrio, que por nepotismo llegó a ser secretario de la Audiencia y luego alcalde mayor de Antequera, hoy Oaxaca. En el libro escrito sobre él, leemos que un indio borracho mató a otro de un hachazo en la cara y luego, con sus amigos, lo cocinaron con chile y maíz, en una especie de pastel «que lo comieron». Peláez lo condenó a «cuestión de tormento» para que confesara «y puesto delante el borrico y hecho apretar las muñecas de las manos con unos cordeles, le apercibió que si mal o daño o quebrantamiento de brazos le vinieren, que sea su culpa». Finalmente fue ahorcado. (Abundaremos más sobre Nuño y Peláez en el apartado «Otras brutalidades»; no es para menos.)

CRÍMENES DE GUERRA

Militar genial y político habilísimo, Hernán Cortés fue un hombre cruel, despiadado y sanguinario (¿puede un guerrero no serlo?). Cortés era duro con tirios y con troyanos; de un grupo de españoles que planeaban desertar llevándose uno de los navíos de regreso a Cuba, a dos los mandó ahorcar, y cortar los pies al piloto, y dar doscientos azotes a los marineros, «y al padre Juan Díaz, si no fuera de misa, también le castigaran, mas metióle harto temor», dice Bernal Díaz del Castillo.

Por su parte, Antonio de Solís minimiza algunas atrocidades de Cortés y otras de plano las pasa por alto. Con respecto a los desertores mencionados y a los castigos aplicados, dice: «Sentencia extraordinaria, y en aquella ocasión conveniente, para que no se olvidase con el tiempo la culpa».

Cuando Cortés sospechó de cierta celada por parte de unos indios que simularon amistad con él, apresó a cinco o seis y, seguramente con torturas, todos confirmaron la planeada traición. Dice el propio Cortés: «Los mandé tomar a todos los cincuenta y cortarles los manos, y los envié a que dijesen a su señor que de noche y de día y cada cuando él viniese, verían quiénes éramos».

Bernal dice que eran diecisiete los espías tlaxcaltecas, «y se les cortaron las manos, y a otros los dedos pulgares, y los enviamos a su señor Xicoténcatl».

Sobre esos sanguinarios castigos, el soldado Francisco de Aguilar aporta información adicional: «Viendo el capitán que eran ya en aquello rebeldes, les mandó cortar las narices y atárselas al cuello, y así los enviaba atemorizados sin matar a ninguno».

Más adelante, Cortés cayó de sorpresa en otro poblado y «como los tomé de sobresalto, salían desarmados, y las mujeres y niños desnudos por las calles y comencé a hacerles algún daño. Querían antes ser vasallos de vuestra alteza que no morir y ser destruidas sus casas y mujeres e hijos».

Sobran los episodios para ilustrar la crueldad de los conquistadores, lo cruento de la época y lo salvaje de cualquier guerra, como en la matanza de Cholula. Cortés invitó a los principales de la ciudad a un recinto cerrado donde se encontraba, diciéndoles que les quería hablar («Acordé prevenir antes de ser prevenido; después que tuve a los señores dentro, en aquella sala, dejélos atando»); a una señal convenida, su caballería atacó a los indígenas que estaban reunidos afuera de ese lugar, «y dímosles tal mano, que en pocas horas murieron más de tres mil hombres. Como los tomamos de sobresalto fueron buenos de desbaratar, mayormente porque les faltaban sus caudillos ya presos; e hice poner fuego a algunas torres y casas fuertes». La hecatombe pasó a la historia con sus ríos de sangre. Nadie duda de la carnicería cometida por Cortés, pues él mismo la describe al rey (como ya leímos).

Otro soldado, Andrés de Tapia, abunda sobre las artimañas utilizadas por Cortés para reunir a los principales de Cholula, con la mentira de que se quería despedir de ellos. Después de que los apresó, les dijo: «Destruiré vuestra ciudad, sin que más quede memoria de ella; y luego mandó matar a los más de aquellos señores y mandó hacer señal para que los españoles diesen contra los que estaban en los patios y muriesen todos, y así se hizo. Y salimos matando gente de guerra y quemando las casas».

Gonzalo Fernández de Oviedo agrega, sobre la dramática matanza, que Cortés ocultó a su caballería para que, «con mucho ímpetu», tomaran por sorpresa a los señores principales y capitanes indígenas «y meneasen las manos; e hiciéronlo como leones, y fue mucho el daño que hicieron en los contrarios, tanto que todos los nuestros estaban teñidos en sangre, y no podían pisar sino sangre u hombres muertos. Y los cristianos acudieron, siguiendo el alcance, e hicieron mucha matanza. En este hecho hubo mucho despojo de oro y plata para los españoles». Sus aliados indios obtuvieron mucha ropa y sal, y mujeres que sacrificaron a sus dioses; a otros cautivos los hicieron esclavos. Unos «veinte señores o personas muy principales» de aquella ciudad se subieron en uno de sus templos para refugiarse, pero «con muy buen arte se les puso fuego y se quemaron allí todos cuantos arriba estaban».

Fray Bartolomé de las Casas (1474-1566), obispo de Chiapas, fue un hombre que desató profundas controversias, pues los textos de sus panegiristas y los de sus detractores parecen reflejar a dos personas distintas. Acerca de la matanza de Cholula, en su *Brevísima relación de la destrucción de las Indias* dice que el objetivo de Cortés fue «poner y sembrar su temor y braveza», porque siempre fue ésa su determinación en todas las tierras donde los españoles entraban: «hacer una cruel y señalada matanza, porque tiemblen de ellos aquellas ovejas mansas».

Consumada la carnicería, días después salieron muchos indios ensangrentados que se habían escondido «y amparado debajo de los muertos (como eran tantos)» e imploraron a los españoles pidiendo misericordia para que no los mataran. Pero no hubo compasión, «antes así como salían los hacían pedazos». A más de cien señores principales «que tenían atados, mandó el capitán quemar y sacar vivos en palos hincados en la tierra».

Acerca de esta matanza, Solís no abunda en ella: «Quedaron muertos en las calles, templos y casas fuertes más de seis mil hombres. Acción bien ordenada y conseguida sin alguna pérdida».

En otro momento, informa Tapia que para castigar a un capitán azteca «que había hecho daño a los españoles», Cortés lo mandó quemar vivo en una gran hoguera hecha con «arcos y flechas y varas y tiraderas y rodelas y espadas de palo, que serían más de quinientas carretadas» de armas indígenas tomadas de una bodega de Moctezuma.

Es muy interesante que fray Diego Durán no justifique, como otros, la matanza del Templo Mayor perpetrada por los conquistadores encabezados por Pedro de Alvarado (pues Hernán Cortés estaba en esos días fuera de la ciudad de México, combatiendo a Pánfilo de Narváez): «Salieron, pues, a su baile toda la flor de México, así de grandes como de valientes hombres, que en una pintura conté eran por todos ocho mil seiscientos, todos de linaje y capitanes de mucho valor, no sólo de México, sino llamados de las ciudades y villas comarcanas. Estando dentro del patio haciendo su areito, tomadas las puertas, fueron todos metidos a cuchillo, sin quedar uno en vida, y despojados de todas las joyas que por mostrar su grandeza y riqueza, y también por placer y solaz, cada uno había traído a la fiesta. Deténgame Nuestro Señor la pluma y mano para no descomedirme contra hecho tan atroz y malo, suma de todas las crueldades de Nerón».

Por su parte, Oviedo agrega, sobre la matanza del Templo Mayor, que eran más de seiscientos aztecas «con muchas joyas de oro y hermosos penachos y muchas piedras preciosas, y sin arma alguna defensiva ni ofensiva, bailaban y cantaban y hacían su areito y fiestas; y al mejor tiempo que ellos estaban embebecidos en su regocijo, movido de codicia el Alvarado, hizo poner en cinco puertas del patio quince hombres y él entró con la gente restante de los españoles, y comenzaron a acuchillar y matar a los indios, sin perdonar a ninguno, hasta que a todos los acabaron en espacio de una hora». Ésa fue la causa por la cual los aztecas, «viendo muertos y robados a aquéllos, y sin haber merecido tal crueldad», se alzaron e hicieron la guerra.

En el sitio de Tenochtitlán, dice Cortés, por tierra «dimos sobre infinita gente; pero como eran de aquéllos más miserables y que salían a buscar de comer, los más venían desarmados y eran mujeres y muchachos; e hicimos tanto daño en ellos que entre presos y muertos pasaron de más de ochocientas personas».

Caída la capital y su último emperador, así fue el suplicio que Cortés aplicó a Cuauhtémoc y a los reyes de Tacuba y de Texcoco, de acuerdo con Oviedo: «Les hizo dar muchos tormentos, quemándoles los pies y untándoles las plantas con aceite y poniéndolas cerca de las brasas, y en otras diversas maneras, para que le diesen sus tesoros, y teniéndolos en continuas fatigas».

Finalmente, Solís relata que, por el rumbo de Oaxtepec, se desarrolló una de tantas batallas sangrientas. Los españoles acorralaron junto a un precipicio a tropas aztecas, «donde murieron pasados a cuchillo todos los que no se despeñaron; y fue tanto el estrago de los enemigos en esta ocasión, que corrieron al río por un rato arroyos de sangre mexicana tan abundante, que bajando sedientos los españoles a buscar su corriente, fue necesario que aguardase la sed, o se compusiesen con el horror del refrigerio».

OTROS SUCESOS BÉLICOS

Prolegómeno de la Conquista fue el periplo de Juan de Grijalva en 1518, reseñado por Juan Díaz, su capellán. En las costas de Yucatán, fueron atacados por indios mayas «que comenzaron a flecharnos muy reciamente». Contraatacaron con artillería y mataron a tres indígenas; «les quemamos tres bohíos y los ballesteros mataron ciertos indios. Y aquí sucedió un grave suceso, y fue que algunos de los nuestros siguieron la bandera y otros al capitán, y por estar entre muchos enemigos hirieron a cuarenta cristianos y nos mataron a uno.»

Andrés de Tapia, soldado y cronista, apunta que a Grijalva, en otro combate contra los indios cerca de Cozumel, además de perder un hombre, «le dieron con una flecha por la boca, donde le derribaron un diente, y se tornó a embarcar con asaz peligro de su gente».

En la desembocadura del río Grijalva (así nombrado desde ese viaje), «nos seguían más de dos mil indios y nos hacían señas de guerra. En este puerto se echó al agua un perro y, como lo vieran los indios, creyeron que harían una gran hazaña si lo mataran, y dieron tras él y lo siguieron hasta que lo mataron», informa aquel capellán.

Al año siguiente, en su avance terrestre hacia Tenochtitlán, Cortés ordenó atrapar vivos a dos indios que espiaban sus movimientos, «y queriendo tomar a alguno de ellos para saber de dónde eran, se defendieron y mataron de dos cuchilladas a dos caballos e hirieron a dos españoles», continúa Tapia.

Para desalentar a los invasores españoles de su intención de llegar hasta la capital del imperio, los enviados de Moctezuma divulgaban la especie de que ese rey tenía pumas y jaguares «y otras fieras, y que cada vez que él quería, las hacía soltar y bastaban para comernos y despedazarnos.»

Incendiar las moradas de la población civil era una técnica de guerra y así lo hizo Hernán Cortés. Asaltó dos comunidades, «en que maté mucha gente y no quise quemar las casas» para que no fuera visto el fuego por otras poblaciones que estaban muy juntas. Pero al día siguiente «les quemé más de diez pueblos; hubo pueblo de ellos de más de tres mil casas; nos dio Dios tanta victoria que les matamos mucha gente, sin que los nuestros recibiesen daño».

En otro lugar, no oculta su amor por la guerra: «Y cuando fue tiempo, salimos y comenzamos a lancear en ellos, y duró el alcance cerca de dos leguas, todas llanas como la palma, que fue muy hermosa cosa; y así murieron muchos de ellos en nuestras manos y de los indios nuestros amigos. Peleaban unos con otros muy hermosamente».

Ya en la ciudad de México, la dramática agresión mortal contra Moctezuma en una azotea, en medio de la multitud, es descrita por otro soldado cronista, Francisco de Aguilar. Cortés hizo subir a ese lugar al emperador azteca, protegido con un escudo, para que arengara al pueblo y lo tranquilizara, pero la reacción popular fue atacarlo, pues lo consideraban un traidor al haberse sometido a la voluntad del español: «Era tanta la grita que daban y tantas las piedras, varas y flechas que tiraban que parecía llover el cielo». Cuando Moctezuma se descubrió un poco la cara para hablar, «vino entre otras piedras que venían desmandadas, una redonda como una pelota, la cual le dio entre las sienes, y cayó». Más tarde, a otros «grandes señores detenidos, Cortés, con el parecer de los capitanes, los mandó matar sin dejar a ninguno».

Esa tarde, llegó a donde se albergaban los conquistadores un grupo de mujeres con antorchas encendidas y braseros. Las viudas, madres e hijas iban a buscar los cuerpos de sus parientes: «Se echaban encima de ellos con muy grande lástima y dolor y comenzaban una grita y llanto tan grande que ponía espanto y temor».

No debe confundirse al mencionado conquistador Andrés de Tapia con otro medio homónimo suyo, Bernardino Vázquez de Tapia, también soldado de Hernán Cortés; en su *Relación de la Conquista* da su punto de vista respecto a la muerte de Moctezuma, diciendo que se cometió un gran desatino. El error consistió en que entregaron el cadáver del emperador azteca metido en un costal a unos indios servidores de él; cuando «la gente de guerra lo vio, creyeron que nosotros le habíamos muerto, y aquella noche todos hicieron grandes llantos y con grandes ceremonias quemaron el cuerpo e hicieron sus exequias; pero al otro día, si con gran furia peleaban, muy más recio y crudamente pelearon en adelante».

Esa misma noche del 30 de junio de 1520 tuvieron que emprender la retirada los españoles, con tantas pérdidas humanas y de tesoros, que pasó a la historia como la Noche Triste. Murieron cientos de españoles y miles de indígenas aliados de ellos atacados por los aztecas. Muchos de los sobrevivientes lograron huir pasando sobre los cadáveres que llenaban los canales. Vázquez de Tapia anota la muerte de setecientos españoles y sesenta caballos.

Francisco López de Gómara agrega acerca de la Noche Triste: «Si esto hubiese sido de día, quizá no murieran tantos; mas como pasó en noche oscura y con niebla, fue de muchos gritos, llantos, alaridos y espanto». La inadecuada hora fue sugerida por el astrólogo Botello, «el cual presumía de nigromántico; había dicho que si se marcharan de México a cierta hora señalada de la noche se salvarían, y si no, que no». La mortandad sumó a los muertos a manos de los mexicas con los ahogados en las acequias, pues Cortés les permitió «que cada uno cogiese lo que quisiese o pudiese del tesoro» de Moctezuma. «El que menos tomó libró mejor, pues fue sin embarazo y se salvó. Tanto más morían cuanto más cargados iban de ropa, oro y joyas».

Cortés «no solamente lloraba la desventura presente, sino que temía la venidera, por estar todos heridos». La tradición señala que lloró bajo el hoy llamado Árbol de la Noche Triste, en la calzada México-Tacuba (recientemente quemado por un vándalo, pero allí continúan sus imponentes restos, cual monumento).

Por su parte, Fernández de Oviedo agrega que esa noche los aztecas sacrificaron doscientos setenta prisioneros españoles, después de la famosa derrota que les infligieron.

En relación con ese desastre, el Fraile Pobre (que eso quiere decir Motolinía) considera que «puestos debajo de la bandera y capitanía de Cortés, con presunción y soberbia, confiando en sus armas y fuerzas, humillólos Dios de tal manera» que fueron echados de la ciudad, «muriendo en la salida más de la mitad de los españoles, y casi todos los otros fueron heridos».

Posteriormente, el sitio a Tenochtitlán fue impresionante —por la formidable resistencia de los aztecas— y fue posible realizarlo por tierra y por agua debido a los trece barcos que Cortés construyó en Tlaxcala, transportándolos desarmados setenta kilómetros hasta Texcoco, donde fueron botados. Esa faraónica empresa la llevaron a cabo ocho mil cargadores y otros tantos aliados indígenas armados, para custodiar los bergantines.

El sitio duró noventa días y la población civil, además del ejército mexica, pasó enormes privaciones de alimentos («por las calles hallábamos roídas las raíces y cortezas de los árboles»). Cortés les ofreció reiteradamente la paz y ellos decían «que de ninguna manera se habían de dar, y que uno solo que quedase había de morir peleando, y que de todo lo que tenían no habíamos de encontrar ninguna cosa, que lo habían de quemar y echar al agua, donde nunca apareciese». Por una parte, el militar y político; por la otra, el férreo y heroico nacionalismo.

Ante una flotilla de barcas indígenas, los bergantines españoles emprendieron el ataque, con viento muy favorable: «Aunque ellos huían cuanto podían, embestimos por en medio, y quebramos infinitas canoas, y matamos y ahogamos a muchos de los enemigos, que era cosa del mundo más para ver».

En otra jornada del sitio fue tanta la mortandad que se hizo entre los aztecas, que aquel día «se mataron y prendieron más de cuarenta mil ánimas; y era tanta la grita y lloro de los niños y mujeres, que no había persona a quien no quebrantase el corazón». Los indios ex vasallos de los aztecas, aliados de los españoles, cobraban venganza en contra de sus antiguos tiranos; dice Cortés: «Nosotros teníamos más que hacer en estorbar a nuestros amigos para que no matasen ni hiciesen tanta crueldad; a ninguno daban la vida. De ninguna manera les podíamos resistir, porque nosotros éramos novecientos españoles y ellos más de ciento cincuenta mil hombres».

Los vencedores se retiraron ese día «porque ya era tarde, y no podíamos sufrir el mal olor de los muertos que había de muchos días por aquellas calles, que era la cosa del mundo más pestilencial».

El Conquistador Anónimo trata diversos temas, no obstante la parquedad de su texto. Algunos podríamos llamarlos temas obligados, como algunas costumbres guerreras de los aztecas, entre ellas la de hacer una especie de espadas de madera con canales en donde encajaban unas lajas de obsidiana que «cortan como una navaja de Tolosa». Un día vio este cronista a un indio combatiendo con un español de a caballo; le dio aquél a la cabalgadura de su contrario tal cuchillada en el pecho, «que se lo abrió hasta las entrañas y cayó muerto al punto». Y en el caso de otros combatientes similares, el indio asestó al caballo una cuchillada en el cuello, «con que lo tendió muerto a sus pies».

Los indígenas, «mientras pelean, cantan y bailan, y dan los más horribles alaridos y silbidos del mundo», especialmente si notaban que iban alcanzando ventaja; «a quien no los ha visto pelear otras veces, ponen gran temor con sus gritos y valentías. En la guerra es la gente más cruel que puede darse, porque no perdonan».

De acuerdo con el pirata Alexandre Exquemelin, quizá flamenco, en el caso del México recién conquistado, el primer acto de piratería fue el robo del tesoro entregado por Moctezuma que Hernán Cortés había enviado al rey de España, en 1523 («El que a hierro mata, a hierro muere» o bien «Ladrón que roba a ladrón...»). El botín que el florentino Giovanni de Verrazano tomó del navío ibero ascendió a ciento cincuenta mil ducados y sólo las perlas pesaban seiscientas ochenta libras. Entre los inmensos tesoros perdidos a manos de los piratas franceses, «había ornamentos maravillosos de los templos y una esmeralda de la base de una pirámide, casi tan grande como la palma de la mano».

ESCLAVITUD

El Cortés brutal y bárbaro correspondió a una época también brutal y bárbara, tanto en Europa como en nuestro país. Por lo pronto, sírvanos el ejemplo de la esclavitud, que en aquellos días era una práctica común en ambos imperios: el español y el azteca.

En diversos pueblos, a Cortés le ofrecían esclavos (principalmente esclavas) que provenían de victorias guerreras entre los propios indígenas o de tributos pagados en esa especie. Por su parte, el conquistador también se hacía de esclavos cuando algún poblado le oponía demasiada resistencia o lo traicionaba: «Hice ciertos esclavos, de los que se dio el quinto a los oficiales de vuestra majestad; porque, además de haber muerto a españoles y rebeládose contra el servicio de vuestra alteza, comen todos carne humana. Hay tanta gente, que si no se hiciese grande y cruel el castigo, nunca se enmendarían jamás».

Resulta espeluznante que al rey de España no sólo le tocaba su quinta parte de esclavos como impuesto, sino que eran marcados en la cara con un hierro al rojo vivo, como animales: «Por haber sido tan rebeldes, habiendo sido tantas veces requeridos, y por haber hecho tantos daños, los pronuncié por esclavos; y mandé que los herrasen con el hierro de vuestra alteza, y sacada la parte que a vuestra majestad pertenece, se repartiesen entre aquellos que los fueron a conquistar».

En otro lugar, «los de a caballo y los peones españoles e indios nuestros amigos siguieron el alcance; y mataron a muchos, y prendieron y cautivaron muchas mujeres y niños, que se dieron por esclavos».

En otro pueblo, «donde alanceamos y matamos a muchos, hallamos a la gente muy descuidada, porque llegamos primero que sus espías, y tomáronse muchas mujeres y muchachos».

En cierta batalla en una zona de montañas, «reventaron diez o doce caballos, por la aspereza de ellas». Fueron apresados dos jefes y de inmediato ahorcados, y todos los que se aprehendieron, cerca de doscientas personas, fueron hechos esclavos; los cuales «se herraron y vendieron en almonedas, y pagado el quinto que de ello perteneció a vuestra majestad, lo demás se repartió entre los que se hallaron en la guerra; aunque no hubo para pagar el tercio de los caballos que murieron, porque, por ser la tierra pobre, no hubo otro despojo».

Bernal Díaz del Castillo escribe que en Tabasco, donde los invasores recibieron el regalo de veinte esclavas, entre ellas la Malinche, primero las bautizaron, a ella como doña Marina; «verdaderamente era gran cacica e hija de grandes caciques y señora de vasallos, y bien se le parecía en su persona». Ésas fueron las primeras cristianas que hubo en la Nueva España y Cortés las repartió entre sus capitanes; la Malinche, que era «de buen parecer y entrometida y desenvuelta», la dio a Alonso Hernández Portocarrero. Cuando el propio Cortés lo envió a España a entrevistarse con el rey, tuvo con ella un hijo (lo cual resulta lógico, habida cuenta de que la Malinche era su traductora inseparable: hablaba náhuatl y maya —después aprendió español— y hacía mancuerna con Jerónimo de Aguilar, quien había aprendido maya como náufrago en Quintana Roo, durante varios años).

Acerca de la Malinche, escribe Antonio de Solís: «Una india principal de buen talle y más que ordinaria hermosura»; Cortés la «recibió en términos menos decentes de los que debiera, pues tuvo en ella un hijo; reprensible medio de asegurar su fidelidad, que dicen algunos tuvo parte de política; pero nosotros creeríamos antes que fue desacierto de una pasión mal corregida, y que no es nuevo en el mundo el llamarse razón de estado a la flaqueza de la razón».

(Uno de los grandes temas de la Conquista es la supuesta traición de la Malinche y de los cempoaltecas y tlaxcaltecas —entre otros pueblos indígenas— en contra de los aztecas, al aliarse con los españoles. Nada más descabellado que acusarlos de traición o de *malinchismo,* palabra que en sí misma denota un error de principio. Nadie puede, sensatamente, criticar a un pueblo que, sojuzgado brutalmente por un imperio, se alíe con unos recién llegados para atacar al opresor. Los aztecas exigían a sus vasallos desde personas para sacrificar o esclavizar hasta tributos permanentes. No sorprende, entonces, que los indígenas de Cempoala, Quiahuixtlán, Huejotzingo, Pánuco, Coatzacoalcos, la propia Tlaxcala y otros treinta pueblos más ofrecieran a Cortés su alianza en contra de los aztecas.)

Bernal se queja de los abusos de los jefes españoles al discriminar a los soldados. Se refiere a la repartición de las esclavas («buena presa de mujeres y muchachos, que les echaron el hierro»): primero sacaban el 20 por ciento de impuesto en especie para el rey, después otro quinto era para Cortés (decidido por él mismo) «y otras partes para los capitanes; y en la noche anterior, cuando las tenían juntas, nos desaparecían a las mejores indias».

Sólo se tiene noticia de dos casos en que los indígenas han esclavizado a españoles, ambos derivados de naufragios. Uno es el de Álvar Núñez Cabeza de Vaca y varios compañeros suyos en la Florida y Luisiana; el otro caso fue anterior y es el del famoso intérprete Jerónimo de Aguilar, quien, de la mano con la Malinche, hacía una cadena lingüística español/maya/náhuatl y viceversa. Así describe Solís las consecuencias del naufragio de Aguilar en el arrecife de Alacranes, en la sonda de Campeche (que hasta la fecha conserva un cementerio de barcos con fantasmagóricos pecios externos, sobre las rocas, y otros restos submarinos):

«Se hallaron todos arrojados al mar en la costa de Yucatán, donde los prendieron y llevaron a una tierra de indios cuyo cacique mandó apartar luego a los que veía mejor tratados para los sacrificios a sus ídolos, y celebrar después un banquete con los miserables despojos del sacrificio. Unos de los que reservaron para otra ocasión (defendido entonces por su flaqueza) fue Jerónimo de Aguilar; pero le prendieron rigurosamente, y le regalaban con igual inhumanidad, pues le iban disponiendo para el segundo banquete. ¡Rara bestialidad, horrible a la naturaleza y a la pluma!»

El otro náufrago que subsistió con Aguilar fue Gonzalo Guerrero, quien al paso del tiempo se casó con la hija de un cacique, procreando hijos con ella. Cuando llegó Cortés a las costas de Quintana Roo y supo de la existencia de dos españoles en aquellas tierras, los mandó buscar y acudió a su llamado Jerónimo de Aguilar, pero no fue así con Gonzalo Guerrero, quien prefirió quedarse con su familia indígena.

El desalmado Nuño de Guzmán (1485?-1558), gobernador de Pánuco, conquistador del occidente de México —Jalisco, Nayarit y Sinaloa—, presidente de la primera Audiencia, «soberbio, prepotente, agresivo, vengativo, impulsivo y cruel», veía en la esclavitud una forma de solución económica y la llevó a cabo en gran escala: desde lo que hoy es Tampico «exportó» al Caribe miles de indios apresados *ex profeso* para esclavizarlos (el obispo Zumárraga estimaba que fueron cerca de diez mil), marcándolos también con un fierro al rojo vivo en la cara; en las islas antillanas, sus socios vendían a los esclavos o los cambiaban por ganado, para traerlo de vuelta a la región de Pánuco.

El mismo prelado escribía que los indios de ese lugar dejaron de tener relaciones sexuales «por no hacer generación que hicieran esclavos y los llevaran fuera», lo cual no liberó a muchos niños de pecho de ser herrados en el rostro y vendidos. El miedo provocó asimismo muchos suicidios de indígenas. Esa práctica y «osadía diabólica» de Nuño la continuó después en Michoacán y en el occidente de México.

Él estaba convencido de la ventaja financiera de la esclavitud, como se lee en esta carta dirigida al rey: «¿Con qué quiere vestra majestad que los españoles compren el caballo y las armas y el comer y el vestido; y las heridas que les dan, con qué las han de curar?», justificando así el negocio de esclavizar indios, «gente tan indómita y sin razón, que tan bien merece cualquier pena». Al propio monarca se dirigieron los miembros del ayuntamiento nayarita de Compostela, a instancias de Nuño de Guzmán: «Hay en estas tierras muchos indios semejantes a los animales y si algún camino hay para atraerlos a que conozcan a Dios, no hay otro sino hacerlos esclavos, pues con tanta justicia y derecho se puede hacer».

Cercano a Nuño fue Juan Peláez de Berrio, quien robaba esclavos ajenos, sobreponiéndoles su «marca» en la mejilla. Un concurrido día de plaza hizo traducir a los indios de Oaxaca este mensaje, revelador de su patología mental: «Diles que estando en el vientre de mi madre ya todos eran mis esclavos».

OTRAS BRUTALIDADES

El cruento rigor de Hernán Cortés para escarmentar a sus subordinados y a los indígenas no distaba mucho del que se usaba en estas tierras desde la época prehispánica. Así ejecutaron sus mayores a un indio que robó algo de oro a un español: se lo llevaron preso a Cortés, para que él lo castigara, pero les devolvió al ladrón y les dijo que ellos le aplicaran la pena que procediera, de acuerdo con sus costumbres («que ellos le castigasen como acostumbraban, que yo no me quería entrometer en castigar a los suyos estando en su tierra», les dijo mañoso); y con pregón público que manifestaba su falta, le pusieron al pie de un estrado que estaba en medio del mercado, y el pregonero «en altas voces tornó a decir el delito de aquél; y viéndolo todos, le dieron con unas porras en la cabeza hasta que lo mataron».

Viene al caso mencionar que, en 1529, Cortés fue inculpado de homicidio por la madre y el hermano de su primera esposa, Catalina Juárez Marcaida. Se le acusaba de haberla estrangulado poco después de la toma de Tenochtitlán y haberse quedado con sus joyas. El proceso criminal nunca se concluyó ni hubo pruebas contundentes del asesinato o de la inocencia del conquistador. Llegó a decirse que la Corona silenció el asunto por el desprestigio que hubiera causado a España, dado el renombre internacional que para entonces ya tenía Cortés.

Juan Suárez de Peralta (1536?-1590?), hijo del español Juan Suárez de Ávila, hermano de La Marcaida, acerca de la misteriosa muerte de su tía, exculpa a Cortés diciendo que «ella era muy enferma de la *madre,* mal que suele ser muy ordinario en las mujeres», y que incluso varias hermanas de la difunta habían muerto de la misma enfermedad. («El *mal de madre* o histérico es una excitabilidad exagerada del sistema nervioso, producida por emociones violentas, físicas o morales, que parte comúnmente del útero, y procede en la mayoría de los casos de irregularidades en el menstruo o de otros fenómenos nacidos de afecciones morbosas en el aparato de la generación».)

Sin embargo, el propio padre de Suárez de Peralta y su abuela —hermano y madre de la fallecida Catalina— acusaron a Cortés de asesinato, cometido después de una animada fiesta en su casa de Coyoacán: «Estando ella en una recámara donde dormían, la maniató, le echó unas azalejas a la garganta y la apretó hasta que la ahogó y murió. La hizo rebozar la cara y pescuezo y meter en un ataúd clavado para que no se pudiese ver ni saber de qué había muerto». Unas versiones decían que Cortés y su esposa habían bailado y festejado con regocijo, otras decían que tuvieron un altercado y que él se burló de ella enfrente de sus invitados, diciéndole, en doble sentido: «Yo no quiero nada de lo vuestro».

Los numerosos testigos del proceso judicial, sobre todo mujeres del servicio doméstico, aportaron datos, ciertos o falsos: que Catalina celaba con razón a Cortés, que él la maltrataba y «la echaba muchas veces de la cama», que el cadáver mostraba unos cardenales en la garganta, que tenía una mancha de sangre en la frente y un rasguño entre las cejas, «que tenía los ojos abiertos y tiesos y salidos de fuera, como persona que estaba ahogada, y tenía los labios gruesos y negros, y tenía asimismo dos espumarajos en la boca»; en fin, que la cama estaba orinada y que se encontraron las cuentas de un collar roto en el suelo.

Ya sea que Cortés hubiera sido inocente (pues el proceso se hizo en su ausencia, cuando gobernaba Nueva España una Audiencia de enemigos suyos) o ya sea que no convenía «empañar la gloriosa fama del conquistador, haciendo recaer gran parte del desprestigio en el buen nombre nacional», lo cierto es que el emperador Carlos V ordenó archivar el expediente.

Otra sospechosa muerte atribuida a Cortés fue la de Luis Ponce de León, enviado desde España para investigar diversas acusaciones contra el conquistador, cuando aún permanecía éste en México. Antes de que llegara a la capital, le envió de regalo unos requesones que «dieron cabo de él y murió el pobre caballero sin ser oído ni visto».

Bernal Díaz del Castillo comenta la fama de mujeriego que desde muy joven tenía Cortés («fue algo travieso, era con demasía dado a mujeres, y celoso en guardar las suyas»). Escuchó que en España y en Cuba, por ese motivo, se acuchilló algunas veces «con hombres esforzados y diestros, y siempre salió con la victoria; y tenía una señal de cuchillada cerca del labio de abajo, mas cubríasela con las barbas».

Probablemente por eso Cortés fue tan prolífico; Bernal enumera a sus hijos conocidos: cinco legítimos (Martín y cuatro hermanas), dos bastardos (otro Martín, hijo de la Malinche, y un hijo de española) y otras tres hijas fuera de matrimonio, que tuvo con indígenas; una de ellas nació contrahecha y otra era hija de una nieta de Moctezuma. Algunas de las indígenas que tuvo por mujeres fueron esclavas que le obsequiaron o parientas de los caciques entregadas al conquistador con el expreso deseo de establecer lazos amistosos más firmes a través de mestizar a los pueblos.

La negra memoria del español Nuño de Guzmán —rodeado de un séquito que incluía numerosa servidumbre, con capellán privado, sastre y ama— remite a las mayores atrocidades. El tirano cometió y permitió muchos crímenes en contra de los indios. El obispo fray Juan de Zumárraga denunció que mandó ahorcar a seis porque no limpiaron el camino por donde pasó y a otros dos por robarse unas tortillas. Por no darle oro, al cacique de Cuitzeo le echó a su peligroso perro, quien lo atacó ferozmente; luego mandó prender fuego al lugar donde quedó tirado. En otra ocasión, «aprehendiéronse dos indios: a uno le cortaron las manos y se las ataron a los cabellos y las narices; y al otro le cortaron las manos también, las cuales quedaron colgadas de los pellejos.»

En su avance hacia Sinaloa, durante la conquista del occidente, Nuño quemó numerosos pueblos indios. El trayecto fue muy penoso, de manera especial para los cargadores indígenas que acompañaban a los españoles desde la ciudad de México y Michoacán, muchos de los cuales llevaban puestas colleras con cadenas, para que no escaparan; algunos *tamemes,* «de pura desesperación, se ahorcaban de diez en diez», y la cifra de los suicidas «serían más de quinientos». A otros «indios amigos», atrapados desertando, los ahorcaron y «asaron a uno vivo». En esa expedición, Nuño llevó a veinte mil indios como cargadores y «no volvieron cincuenta vivos», por los extremos esfuerzos a los que los sometía.

La gente de Nuño seguía su ejemplo. Sancho de Caniego, su familiar, «a la más leve provocación golpeaba a un indio hasta matarlo»; un encomendero crucificó a un cacique por no darle oro; el oidor Delgadillo arrastró a otro indio de los cabellos y le dio «tantas coces hasta hundirle los pechos y le hizo echar sangre a borbollones por la boca», matándolo; los esclavos negros del mismo oidor ataban y atormentaban indígenas; su hermano «se divertía lanzando lebreles contra los indios hasta que morían despedazados». Otros encomenderos castigaban a los que se retrasaban en el pago de tributos, «clavándoles los pies y las manos en los árboles con herraduras, y allí los tenían hasta que perecían pidiendo al cielo justicia». Un tal Pedro Bobadilla salía a cazar indios con sus perros bravos, y «despedazaban a muchísimos».

Uno de los más crueles asesinatos cometidos por Guzmán fue en contra del rey tarasco, quien ya se había sometido a los españoles desde años atrás, cuando Cortés tenía el mando. Un criado de Guzmán «quebrantó hasta las sepulturas de los naturales y sacó oro, plata y joyas». Nuño ordenó torturar al *caltzontzin* para que les diera más tesoros: primero lo desnudaron y le dieron garrote («consistía en ligar cordeles que se hundían en las carnes al hacer girar» un madero), después le quemaron los pies, junto con su hermano y su yerno, posteriormente fue arrastrado por todo el pueblo, envuelto en un petate, jalado por un caballo, y finalmente fue quemado y tiradas sus cenizas.

La crueldad de Guzmán y sus capitanes a veces la sufrían también los propios españoles. Los seguidores de Hernán Cortés —odiado por Nuño— fueron sus víctimas predilectas, como Cristóbal Angulo, «arrastrándole y ahorcándole y descuartizándole», o García de Llerena, a quien le cortaron un pie y le dieron cien azotes, o Pedro de Vallejo, a quien un pariente de Nuño atormentó y pateó salvajemente hasta dejarle «el cuerpo negro como plomo», o González de Trujillo, que sufrió tormento, azotes, «le quebraron los dientes y le hizo clavar la lengua en un madero»; otro fue Juan Castaño, quien murió golpeado personalmente por Nuño de Guzmán.

Sus crímenes le valieron numerosas denuncias que culminaron con la prisión por dieciocho meses en una cárcel de la ciudad de México. Después se le envió a España y allá siguieron sus litigios, hasta que murió.

Juan Peláez de Berrio, quien trabajó cerca de Nuño en la Audiencia de México y luego fue alcalde de Oaxaca, cometió los mayores crímenes y abusos en contra de los indios («herrándolos» para hacerlos esclavos, entre alaridos y olor a carne chamuscada) y también en contra de los españoles que osaban enfrentársele, no deteniéndose ante los clérigos: a un fraile lo bajaron a jalones y golpes del púlpito cuando pronunciaba un sermón que les era contrario a los oidores, lo cual les valió la excomunión por parte del obispo Zumárraga; a otros curas los apresaron y a uno lo hicieron «arrastrar y ahorcar y descuartizar ante mis ojos», declararía el prelado. Para declarar contra éste, los oidores usarían a un fraile «de todos público jugador y hombre de mal vivir y disoluto».

Delgadillo, otro oidor, también sería acusado de cargar *tamemes* como bestias, quemándoseles los pies con la nieve al caminar descalzos entre Cholula y México: «Sólo de Huejotzingo murieron más de ciento trece indios e indias».

La brutalidad de Peláez era manifiesta, reaccionando con violencia a la menor provocación, y a veces sin ella. A un español «le dio cuatro mojicones en la cara y en los ojos, le dio en una pared y le descalabró y corrió sangre de la cabeza»; a otro «le echó mano de la garganta y le rompió un jubón de terciopelo y le desgarró un capote»; a otro más, que había sido conquistador, «le mandó echar unos grillos y porque le venían pequeños y no le cabían, lo lastimaban que daba voces, y Berrio decía que se los dejase meter, si no él se los entraba a poner, que haría con el martillo que le cupiesen».

Con los indígenas, por supuesto, era peor: «Toda la tierra estaba escandalizada de sus desatinos y cosas inhumanas y crueldades inauditas que hacía en indios, aperreándolos para que los hiciesen pedazos los lebreles». Les exigía oro y en una ocasión en que no le dieron todo el que pedía, «luego les comenzó a amenazar y echarles los perros y les mordieron malamente».

Émulos del alcalde los hubo a montones, sobre todo entre los encomenderos. Un tal Monjaraz, que asesinó a puñaladas a su esposa, «le echó un lebrel a un cacique, y le despedazó»; había quemado «de pies y barrigas» a varios indios y a una cacica «le ha cortado una teta». Otro, cuando unos indios le negaron bastimentos para sus esclavos, les quebró los dientes «con el puño de la espada, dándoles cuchilladas y aperreando con perros bravos a los indios principales». Otro más «descuartizó un nahuatlato y ahorcó a otros con él».

ENFERMEDADES

Ya sabemos que uno de los principales aliados de los conquistadores fueron las epidemias que ellos mismos trajeron y que diezmaron a los indígenas. Francisco de Aguilar relata el final del sitio de Tenochtitlán: «Fue nuestro Dios servido de enviarles viruelas, y entre los indios vino una grande pestilencia. Además, como era tanta la gente que dentro estaba, especialmente mujeres, ya no tenían qué comer; todo lo cual fue causa de que aflojasen en la guerra».

Sobre el mismo asunto, difiere el diagnóstico de Vázquez de Tapia, quien consideró, como era usual, que las fuerzas divinas estaban apoyando a los españoles. A ellas atribuyó una peste «de sarampión, y vínoles tan recia y tan cruel, que creo que murió más de la cuarta parte de los indios que había en toda la tierra, la cual muy mucho nos ayudó para hacer la guerra y fue causa de que mucho más presto se acabase, porque en esta pestilencia murió gran cantidad de hombres y gente de guerra y muchos señores y capitanes y valientes hombres, con los cuales habíamos de pelear y tenerlos por enemigos; y milagrosamente Nuestro Señor los mató y nos los quitó delante».

Acerca de las viruelas, Motolinía informa que llegaron por primera vez a México con un negro enfermo que venía con Pánfilo de Narváez, en 1520, cuando fue enviado por el gobernador de Cuba para apresar a Hernán Cortés, siendo derrotado por éste. Como esa enfermedad nunca se había presentado en estas tierras, la población tuvo una enorme proclividad a contraerla. «Como las viruelas se comenzasen a pegar a los indios, fue entre ellos tan grande pestilencia, que en la mayoría de las provincias murió más de la mitad de la gente; como tienen muy de costumbre, sanos y enfermos, el bañarse a menudo, y como no lo dejasen de hacer, morían como chinches a montones».

También murieron muchos de hambre, porque como todos se enfermaron de manera simultánea no se podían cuidar unos a otros, «ni había quien les diese pan ni otra cosa ninguna. Y en muchas partes aconteció morir todos los de una casa; y porque no podían enterrar a tantos como morían, para remediar el mal olor que salía de los cuerpos muertos, echábanles las casas encima, de manera que su casa era su sepultura». A esta epidemia la llamaron los indios «la gran lepra», porque eran tantas las viruelas que cubrían los rostros, que parecían leprosos.

Después de once años llegó un español enfermo de sarampión, y de él se contagiaron los indios, «y si no fuera por el mucho cuidado que hubo en que no se bañasen, y en otros remedios, fuera otra tan gran plaga y pestilencia como la pasada, y aun con todo esto murieron muchos». Llamaron a ese año el de «la pequeña lepra». La terapia implícita en las palabras del fraile no habla bien de sus hábitos higiénicos.

Y a propósito de enfermedades, anotemos que, cuando venía a México, Nuño de Guzmán enfermó de malaria en la travesía («tercianas continuas y cuartanas dobles»).

COSTUMBRES SEXUALES. PROSTITUCIÓN, HOMOSEXUALIDAD Y ADULTERIOS

El capellán Juan Díaz, durante la expedición de Grijalva en 1518, informa que en San Juan de Ulúa, en Veracruz, «es de saberse que todos los indios están circuncisos, por donde se sospecha que cerca de allí se encuentran moros y judíos». Para hacer esta afirmación tan arriesgada como sugerente —tanto en lo cultural como en lo anatómico—, sin comprometerse, el capellán la pone en boca de su comandante.

Bernal Díaz del Castillo, por su parte, también en tierras veracruzanas escribe que, en Cempoala, el llamado Cacique Gordo les declaró que como «éramos ya sus amigos, nos querían tener por hermanos, y que sería bien que tomásemos a sus hijas y parientes para hacer generación». Y al efecto les dio a los españoles ocho hijas de señores principales, una de ellas su sobrina; Cortés las recibió «con alegre semblante», pero aunque mostró su agradecimiento, puso como requisito que dejaran sus creencias religiosas «y que aquellas mujeres se volverán cristianas primero que las recibamos».

La misma condición puso el capitán conquistador a las mujeres recibidas en Tlaxcala: «Tenían concertado entre todos los caciques darnos a sus hijas y sobrinas, las más hermosas que tenían, que fuesen doncellas por casar».

Bernal conoció y trató a Moctezuma, pues varias veces fue parte de la guardia que le puso Cortés al rey azteca. Dice que era risueño («y en todo era muy regocijado en su hablar de gran señor»). Tenía muchas mujeres por concubinas, hijas de señores principales, amén de que dos grandes cacicas eran sus legítimas mujeres.

Confiesa que como en aquel tiempo él era mancebo, siempre que pasaba delante del monarca, con gran acato se quitaba su bonete de armas, y ya le había dicho al paje Ortega (jovencito español al servicio del emperador azteca, que para entonces ya hablaba el náhuatl) que le quería pedir a Moctezuma «que me hiciese merced de una india muy hermosa, y como lo supo, me mandó llamar y me dijo: 'Os mandaré dar hoy una buena moza; tratadla muy bien, que es hija de hombre principal; y también os darán oro y mantas'». Discreto, Bernal nada dice del desenlace de este asunto.

Otro aspecto al que más de una vez alude y critica este cronista es el referido a los homosexuales o «sométicos» entre la población indígena. Dice que lo eran, en especial, los que vivían en las costas y en tierra caliente, «de tanta manera, que andaban vestidos en hábito de mujeres muchachos para ganar en aquel diabólico y abominable oficio».

Algunos aspectos de la vida familiar de Moctezuma y del palacio en que vivió son relatados por Oviedo. Dice que el padre de ese emperador azteca tuvo más de ciento cincuenta hijos y que a muchos de ellos los mató; a sus propias las hermanas las casó «con quien le pareció» y él mismo tuvo cincuenta hijos o más. Llegó a tener algunas veces hasta cincuenta mujeres embarazadas, «y las más de ellas mataban a las criaturas en el cuerpo, porque dicen que así se lo mandaba el diablo».

Aunque la historia siempre arrastra algunas mentiras, parece que ciertos aspectos del asunto de las esposas de Moctezuma eran verdaderos; no sabemos si lo es éste que proporciona Solís: «El número de sus concubinas era exorbitante y escandaloso; habitaban dentro de su palacio más de tres mil mujeres entre amas y criadas, y venían al examen de su antojo cuantas nacían con alguna hermosura en sus dominios, porque sus ministros ejecutores las recogían a manera de tributo y vasallaje.

»Deshacíase de este género de mujeres con facilidad, poniéndolas en estado para que ocupasen otras su lugar; y hallaba maridos entre la gente de mayor calidad, porque salían ricas y, a su parecer, condecoradas.»

Nuño de Guzmán escribe que en Jalisco, en cierta batalla, «peleó un hombre indígena con hábito de mujer» y luego «confesó que desde chiquito lo había acostumbrado y ganaba su vida con los hombres al oficio, por donde mandé que fuese quemado y así lo fue».

Guzmán acusó a un intérprete de ser «compañero de sodomías» del rey purépecha y, muerto este último, se llevó a veinticinco mujeres que fueron suyas, junto con las joyas que poseían.

Los inhumanos excesos de Guzmán en Pánuco, en Michoacán y en occidente obviamente eran justificados por él. Esgrimía la necesidad de pacificar las nuevas tierras conquistadas ante la ferocidad de los indígenas, su religión pagana y su afición a los sacrificios humanos y la antropofagia. Decía, por ejemplo: «Se han muerto por los indios cincuenta españoles, cuatro de ellos desollados los cueros y a otros cortados pies y manos y sacados los ojos». El obispo Julián Garcés también abogaba a su favor: «Debemos proseguir tan santa empresa sin escrúpulo de conciencia, pues los tales infieles son idólatras sacrificadores de carnes humanas y abominables de vicios contra natura»; estimaba que la guerra era una manera de que «la tierra se purgue de esta gente inútil».

Aquel siniestro personaje, cuando fue gobernador de Pánuco, no permitió a los españoles tener concubinas indígenas. No obstante, cuando era presidente de la Audiencia de México, fueron denunciados los oidores por el cacique de Tlatelolco porque le pedían mujeres parientas «que fuesen de buen gesto»; Guzmán ordenó ahorcar al tlatelolca acusador. Los oidores «se andaban en banquetes y tratando en amores» y jugaban fuerte de apuesta. Nuño fue, al parecer, amante de la esposa de un oficial real, Catalina de Peñaloza. «Anda perdido» por ella, ofrecía fiestas «por regocijar a su amiga» y como «la perdición de este oidor y la locura de ella no tienen par, ni se podría escribir la disolución y desvergüenza de éstos», para tranquilizar al marido, Guzmán le regaló una encomienda.

Peláez de Berrio, cercano a Nuño, apresuró su salida a Oaxaca por un escándalo suscitado en Texcoco. Allí había una casa para que los españoles «depositaran» a sus mujeres, cuando debían ausentarse largas temporadas; también se recibían indígenas de familias principales. Algunas versiones hablan de que era una especie de convento de monjas, otras tachan al lugar de burdel encubierto («antes es putería de frailes y mancebas que monasterio»), pues «muchas de las indias que estaban en dicha casa se iban al mesón del pueblo con quien las quería a trueque de mantas y de lo que les pagaban por ir a cumplir con los españoles y aun con los indios». Al paso del tiempo, algunas quedaban «preñadas y parían allí». Otro oidor acusó a ciertos frailes franciscanos de «tener por concubinas a las indias enclaustradas».

De semejante lugar, Peláez sustrajo a dos quinceañeras: Luisa, una cubana, y la india Inesica, y se las llevó a Oaxaca, «donde las tuvo y ha tenido por mancebas públicas, durmiendo con ellas carnalmente». Al paso de un par de años, la primera fue abandonada por el alcalde y «empezaría a desvariar. Comía tierra y carroña para apresurar el fin de su vida», lo que logró cabalmente.

De paso, en el documentado libro sobre Peláez, nos enteramos de que Hernán Cortés había tenido en Cuba «relaciones íntimas» con una Marina de Triana; años después, la madre de Marina declararía que también a ella la quiso seducir y lo recriminó: «¡Cómo! ¿No sois cristiano, habiendo vos echado con mi hija queréis echaros conmigo?»

TRADICIONES SEXUALES. ESCATOLOGÍA

Por el rumbo de ría Lagartos, en la península yucateca, el capellán Juan Díaz anota que «anduvimos por la costa, donde encontramos una muy hermosa torre en una punta, que se dice estar habitada por mujeres que viven sin hombres (créese que serán de la estirpe de las amazonas) y se veían cerca otras torres». No es ésta la única noticia que tenemos de esa legendaria versión, aunque la ubicaban en diferentes lugares.

De las *Cartas* de Hernán Cortés, rescatemos este raro dato sobre la verdadera isla de las mujeres, mas ésta en el océano Pacífico, frente a las costas de Jalisco; se afirmaba la existencia de una ínsula poblada únicamente de mujeres, «sin varón ninguno, y que en ciertos tiempos van de la tierra firme hombres, con los cuales tienen acceso, y las que quedan preñadas, si paren mujeres las guardan, y si son hombres los echan de su compañía; y que esta isla está a diez jornadas de esta provincia, y que muchos de ellos han ido allá y la han visto. Dícenme asimismo que es muy rica de perlas y oro».

Otra mención al respecto es de Nuño de Guzmán. Esas mujeres «son ricas y tenidas por diosas. Son más blancas que estas otras; traen arcos y flechas y rodelas; comunícanse cierto tiempo del año con los vecinos y lo que nace, si es varón, dicen que lo matan, y guardan a las mujeres».

Quisiera destacar algunas noticias del Conquistador Anónimo acerca del culto fálico en la provincia de Pánuco, donde «adoran el miembro viril y lo tienen en sus mezquitas y asimismo en las plazas, juntamente con imágenes en relieve, representando los diversos métodos de placer que pueden existir entre el hombre y la mujer, así como figuras humanas con las piernas levantadas en diversos modos». Ese conquistador se habría sorprendido más en el templo hindú de Elora, todo él decorado con ese tipo de representaciones provenientes del libro sagrado del *Kama Sutra,* y aquí mismo en México ése no es un caso aislado, si bien no es frecuente. En Uxmal había esculturas con la misma temática y asimismo en la Mixteca oaxaqueña.

Otra extraña noticia del misterioso cronista es más desconcertante; se refiere a cierta insólita ingestión alcohólica por una vía descomunal, en la misma provincia de Pánuco: «Los hombres son grandes sodomitas, cobardes, y tan borrachos, que cansados de no poder ya tomar vino por la boca, se acuestan, y alzando las piernas se lo hacen poner con una cánula por el ano, hasta que el cuerpo esté lleno».

Y a propósito de escatologías, Juan Peláez de Berrio, a la sazón alcalde de Oaxaca, a un grupo antagónico de españoles los ofendió cuando «vino con la pija en la mano meando a los unos y a los otros».

MÉXICO VIRREINAL.
SIGLO XVI

ENCOMIENDAS Y TRIBUTOS

En la *Historia* de Motolinía leemos que algunas de las «diez plagas» que asolaron a la Nueva España fueron «los tiránicos encomenderos y los grandes tributos y servicios que se exigían a los indios». («Faltando de cumplir el tributo, hartos murieron por ello, unos con tormentos y otros en prisiones crueles, porque los trataban bestialmente, y los estimaban menos que a sus bestias.»)

El fraile dominico español Julián Garcés, obispo de Tlaxcala en 1532, no obstante que en su *Alegato en pro de los naturales de Nueva España* reconoce haber oído que los antepasados de los indios «fueron de bárbara fiereza y de crueldad sobrehumana», los defiende en contra de la explotación que sufrían por parte de los españoles y «de las rabiosísimas manos de su codicia, cuya rapacidad es tan grande; estos fulanos suelen opinar que no hay crimen en despreciarlos, perderlos y darles muerte». Además, los españoles ponían en duda la misma condición humana de los indios: «Satánica es la voz que las gargantas de cristianos cegados por la avaricia vomitan, que porfían que criaturas racionales hechas a imagen de Dios son bestias y jumentos».

Fray Bartolomé de las Casas describe a los indios de México como mansas ovejas dotadas de cualidades por el «hacedor y creador» y a los españoles como lobos y tigres y leones «crudelísimos de muchos días hambrientos» que no hicieron otra cosa «sino despedazarlas, matarlas, angustiarlas, afligirlas, atormentarlas y destruirlas por las entrañas» y otras nuevas maneras de crueldad «nunca vistas ni leídas ni oídas».

Denuncia que aquí murieron, durante los primeros años novohispanos, todos los hombres que podían anhelar o pensar en libertad, o «en salir de los tormentos que padecen», pues en las guerras los españoles no dejaban con vida sino a los niños y a las mujeres, «oprimiéndolos con la más dura, horrible y áspera servidumbre en que jamás hombres ni bestias pudieron ser puestas».

Apunta como causa de que hayan matado y destruido «tan infinito número de ánimas los cristianos», la de tener como fin último el oro y hacerse de riquezas en poco tiempo con «insaciable codicia y ambición», nunca vistas en el mundo; asimismo ascender en la escala social «sin proporción de sus personas».

Gómez Nieto *(sic)*, segundo visitador de la Huasteca —especie de auditor—, aliado de Nuño de Guzmán, encomendero y alcalde de Tampico, produjo un informe de su «visita» a aquella región, hacia 1533. En ella se recibieron quejas en contra de españoles que maltrataban a los indios, como uno «que le dio de palos y lo ató diez días» por no pagarle tributo. Otro los encarcelaba para obligarlos a darle esclavos y oro, y otro «ató al cacique y un principal y su mujer».

Gaspar de Recarte fue un fraile hispano que escribió en 1584 un *Tratado del servicio personal y repartimiento de los indios*. Nada más sabemos de él. Gran cantidad de españoles *han hecho la América* durante siglos con muchos esfuerzos y arduos trabajos, pero aquéllos del siglo XVI la querían hacer sin trabajar, si hemos de creerle al padre Recarte. A él le parecían incompatibles, en paz, los conquistadores y los conquistados: «Podemos decir con toda verdad que así como entre lobos y ovejas no puede haber buen modo de república y amistad, así entre indios y españoles no puede haber confederación y liga, por ser de diferentísimos humores y condiciones».

A los españoles los calificaba de insolentes y «amantes de grandes faustos y pompas», que querían siempre, «como el aceite, subir, y han hecho y hacen cada día a los indios grandísimos males»; los indios, por su parte, eran «encogidos, miserables y con nada pasan la vida», y habitando éstos «en cortísimas y paupérrimas casas, los españoles no quieren hacerlo sino en ricas casas y palacios, como si fuesen reyes, a costa del sudor y sangre y hacenduelas de los pobres indios».

Bien se daba cuenta Recarte del despojo que habían sufrido nuestros aborígenes, pues recomendaba atender más en estas colonias a su bien común que al de los invasores, «porque los indios son los propios naturales señores de ellas y no los españoles, que no son sino advenedizos que tiránicamente entraron y conquistaron estas tierras».

Este tratadista religioso sostiene que las encomiendas de indios no les 0producían ningún provecho a éstos, ni físico ni moral: «Estos repartimientos no redundan en provecho temporal y corporal de los indios, como consta, que no es menester más pobranza de lo que se ve a ojo».

Eran sacados de su casa con tiránica violencia para obligarlos a dar servicio personal a los españoles, como si fueran sus esclavos, haciéndolos ricos. «Creo cierto que fueron invención de Satanás estos repartimientos, para dar con indios y españoles en los infiernos.»

El fraile dominico español Juan Ramírez (¿-1609), autor de estas *Advertencias sobre el servicio personal al cual son forzados y compelidos los indios de la Nueva España,* quien llegó a ser obispo de Guatemala, asegura que los virreyes, coludidos con los encomenderos, hicieron que los indios fueran libres sólo de nombre pero no de verdad, y que «sirviesen como esclavos», estableciendo algún salario «para que así tuviesen nombre de jornaleros»; consistía en un «vil precio, sin darles comida alguna», pues era mucha la codicia de los españoles. Se les quitó el nombre de esclavos, pero quedaron los indios sujetos a otra más dura y pesada servidumbre. Ésta «ha ido siempre creciendo, de mal en peor; hace de peor condición a los indios libres que a los esclavos.

»Están puestas tan pesadas cargas a los pobres y flacos indios, que los hacen caer debajo de ellas, acabando la vida miserablemente. No han hasta aquí experimentado la suavidad del yugo de Cristo, por la malicia y crueldad con que los han gobernado.» El nombre de *cristiano* entre los indios «no era nombre de religión, sino nombre aborrecible, por los malos ejemplos que les han dado los que se llaman cristianos, que son los españoles, opresores de los indios». De los virreyes dice que eran desleales a Dios y a los reyes de España; que siempre «han sido interesados y su propio interés los ha cegado para no ver los daños y agravios que se han hecho y hacen a los indios con estos tan duros repartimientos: no hay cosa más contraria a la libertad que la coacción, fuerza y violencia».

Los españoles daban castigo y tormento a los indios recién convertidos a la religión cristiana sin haber cometido ningún delito, «por la sola codicia de los bienes temporales, y porque no tienen los indios quién mire por ellos, porque son como hijos sin padre, viuda sin marido, huérfanos sin tutor, vasallos sin señor». Las injustas exacciones que se les hacían a los indios de ambos sexos en los repartimientos «no pueden ser mayores ni más aflictivas ni causadoras de mayor angustia y congoja». Allí eran obligados a servir a «hombres baldíos y holgazanes», sin ocupación honesta, que sólo vivían «del sudor ajeno». Éstos correspondían «apaleándolos y aperreándolos», o sea lanzándoles a sus perros bravos; «usan de las indias como quieren, y las alejan y apartan de sus maridos».

Con ese tan duro servicio personal cesaba la procreación de los hijos y no se multiplicaban, «antes se van acabando y consumiendo y las criaturas se les mueren». Para que no huyeran, los encerraban de noche en un corral «como si fuesen cabras, y allí, desnudos y mal abrigados, están expuestos al frío, no haciendo más caso de ellos que si fuesen bestias. Estos repartimientos son injustos y ajenos de toda piedad cristiana».

ESCLAVITUD

De acuerdo con Motolinía, una de las «plagas» que padeció la Nueva España fue la esclavitud, sobre todo en las minas: «Los esclavos indios que hasta hoy en ellas han muerto no se podrían contar». La marca con un fierro al rojo vivo se les hacía por lo general en la cara, sin excluir a los esclavos del monarca hispano: «Dábanles en aquellos rostros tantos letreros, además del principal hierro del rey, que toda la cara traían escrita, porque de cuantos eran comprados y vendidos llevaban letreros, y por esto esta plaga no se tiene por la menor».

El franciscano Diego Durán, en una abierta crítica a los españoles, afirma que «sacaban muchos indios e indias y niños, y los herraban en las caras y los llevaban a vender por esclavos para minas y otros servicios personales, y aun cargaban navíos de ellos para fuera de la Nueva España».

Al sanguinario conquistador Nuño de Guzmán, fray Bartolomé de las Casas lo acusa de haber esclavizado y «herrado» a más de cuatro mil quinientos hombres, mujeres y niños hasta «de un año a las tetas de las madres» y ello «aun saliéndole a recibir en paz».

Las Casas describe también los horrores cometidos por Francisco de Montejo en Yucatán, donde vendía jóvenes indias a sus soldados o a otros españoles por vino, aceite, vinagre o tocino, y asimismo varones. «Y acaeció dar un muchacho que parecía hijo de un príncipe por un queso, y cien personas por un caballo.»

El siguiente dato del mismo fraile nos ilustra sobre las particularidades de un repulsivo comercio: «Este hombre perdido se loó y jactó desvergonzadamente delante de un venerable religioso, diciendo que trabajaba cuanto podía por preñar a muchas mujeres indias, para que vendiéndolas por esclavas, preñadas le diesen mayor precio por ellas».

Desde 1522 se había iniciado la «exportación» de indios libres de la Huasteca hacia las Antillas, para utilizarlos como esclavos en las plantaciones, canjeándolos por ganado; en esa tercera década del siglo XVI se estima en quince mil la cifra de indios enviados a las islas en calidad de esclavos. En la «visita» que realizó Gómez Nieto en 1533 a aquella región, «fueles preguntado a los indios que si han dado a sus amos españoles algún indio o india por esclavo no siéndolo, que lo digan y que lo pondrán en libertad; uno dijo que nomás diez, los cinco muchachos y los cinco hombres que dieron a Gonzalo de Vega, los cuales herró de noche en su casa sin que ningún cristiano lo viese» y que luego los embarcó.

El fraile dominico Francisco Ximénez nació en Andalucía en 1666 y, aparentemente muerto, estuvo a punto de ser enterrado vivo, recién nacido: a tiempo lloró cuando el cortejo fúnebre se dirigía al cementerio. Su padre murió asesinado antes de que Francisco naciera. Establecido en Guatemala, en su *Historia de la provincia de San Vicente de Chiapa y Guatemala* habla de los indios del siglo XVI y los defiende en contra de los españoles. Aunque dice que «fue tanta su rusticidad, que llegaron a tenerlos por bestias e irracionales», aclara que ello más bien se usó como pretexto, pues «la verdad no fue tanto el considerarlos tan brutos, cuanto depravada la malicia de muchos de aquellos primeros conquistadores». Asegura que sólo quisieron saciar su codicia, hacerlos esclavos y tratarlos como mercancía.

Andrés de Zerezeda («muy magnífico señor», a quien llamaban «vuestra señoría») planteó en el siglo XVI algunas «dudas que se sienten para herrar» a los indios como esclavos. Ellas derivaban de la diferencia que había entre esclavos que ya lo eran desde la época prehispánica y los nuevos que hacían los españoles. En Centroamérica se resolvió el asunto marcando con el hierro candente a unos en el muslo derecho y a otros en el izquierdo, «todos con el hierro real»; en Nueva España, los «esclavos hijos de madre esclava se han herrado en el rostro con el hierro de su majestad» y la duda era si a los nuevos esclavos procedía herrarlos en la cara o en el muslo, para distinguirlos de los otros.

Francesco Carletti nació en Florencia hacia 1573, hijo de un próspero comerciante que lo inició y encaminó por el sendero de los negocios; para ese fin, lo envió a Sevilla en sus mocedades. Juntos, padre e hijo, inician en 1591 un viaje alrededor del mundo. El objetivo de su periplo fue hacer dinero y no importaba cómo. Eran hombres sin escrúpulos y se dedicaron a la compraventa de esclavos negros, adquiridos en Senegal para traerlos a América. Además comerciaban con metales preciosos y con productos de alto valor, como cacao, tabaco y pimienta, entre otros. Sus intereses comerciales los llevaron a Perú, luego a Acapulco y de allí a la ciudad de México.

Acerca de sus actividades como *negreros,* es interesante diversa información relativa a la situación y costumbres de sus víctimas, dejada por Carletti sobre el papel en sus *Razonamientos de mi viaje alrededor del mundo.* Como la mayoría de los esclavos andaban desnudos, es sorprendente la especie de recato que algunos tenían:

«Muchos acostumbran una cierta galantería, a su modo, y se atan el miembro con un listón y otros hilos hechos de hierba, y tirándoselo entre los muslos hacia atrás lo ocultan de tal manera que no se reconoce si son machos o hembras; y otros se lo cubren metiéndolo en un cuernecillo de algún animal o en conchas marinas; otros se lo llenan de muchos anillitos de hueso o bien de hierba tejida, de tal modo que queda todo cubierto y al mismo tiempo adornado; y muchos incluso se lo pintan o por mejor decir embadurnan de alguna mixtura que se lo ponga rojo o amarillo o verde. De estos modos y otros tratan de cubrirse estas partes que muchos de ellos sin más ceremonia dejan descubiertas.»

OTROS CRÍMENES CONTRA LOS INDIOS

La lectura del informe de Gómez Nieto nos revela que la Huasteca no tenía «señor universal», sino caciques locales, a la manera de pequeños señoríos feudales. Las ordenanzas mandaban «que ninguna persona sea osada de matar a señor ni principal, y el que lo matare, que muera por ello, conforme a derecho y leyes del reino». No obstante, si el asesinado era «indio de baja suerte o macegual», el criminal debía pagar una multa de cien pesos de oro, y si no tenía con qué pagar, si era hijodalgo se le desterraba perpetuamente, y si era un español sin mayor alcurnia recibía cien azotes. Puede verse que la vida humana tenía un precio contante y sonante y a veces ni eso.

Gómez Nieto investigaba la realización de sacrificios humanos («y que si lo hicieren morirán por ello») y la existencia de culto y sacerdotes de la antigua religión prehispánica; también, si algún español había matado a algún indio principal o había mutilado a alguien, si había esclavizado a indios libres, si tenía prisiones particulares, si utilizaba indios como *tamemes* para cargarlo en sus viajes y si había españoles vagabundos o polígamos.

Se establecía que si subsistieran sacerdotes de sus viejas creencias, «los que fueren morirán por ello y serán aperreados». La pena para aquellos que llevaran a cabo sacrificios no era menor: «Si lo hacían los quemarán por ello».

Según fray Bartolomé de las Casas, no sólo en el centro del país sino también en el sureste se usaba «aperrear» a los indios, sin distinguir sexo ni edad. Relata que una india enferma, viendo que no podía huir de los perros, para que no la hicieran pedazos como estaban haciendo a otros, «tomó una soga y atóse al pie un niño que tenía de un año, y ahorcóse de una viga; pero no lo hizo tan presto que no llegaran los perros y despedazaran al niño, aunque antes que acabase de morir lo bautizó un fraile».

Y refiriéndose a Francisco de Montejo, agrega algo textualmente increíble: «Yendo cierto español con sus perros a la caza de venado o de conejos, no hallando qué cazar le pareció que tenían hambre los perros, y tomó un muchacho chiquito a su madre y con un puñal le cortó a tarazones los brazos y las piernas, dando a cada perro su parte, y después les echó todo el corpecito en el suelo a todos juntos».

En 1562, fray Diego de Landa descubrió prácticas idólatras en la población yucateca de Maní, procediendo con dureza y, peor aun, con gravísima irresponsabilidad histórica. Por disposición suya, los mayas paganos fueron «trasquilados, encorazados y ensambenitados»; el escarmiento resultó tan penoso y humillante que algunos se ahorcaron o huyeron despavoridos tratando de evitar el rigor de los castigos. Pero más doloroso quizá que las torturas o que cualquier padecimiento físico fue para los indios el tener que presenciar pasmados la destrucción de sus objetos; una lista integrada por Justo Sierra informa que en Maní se rompieron o quemaron cinco mil ídolos de diversos tamaños, trece piedras utilizadas como altares, veintidós pequeñas estelas labradas, veintisiete códices y ciento noventa y siete vasijas.

Como este fraile —y después obispo— estuvo en contra de las costumbres licenciosas de los españoles y mestizos avecindados en Yucatán, aprovecharon éstos el *culturicidio* de Landa y su dureza contra los indios para atacarlo. Diego Rodríguez Vivanco escribió al rey Felipe II sobre los suplicios de Maní: «Comenzaron el negocio con gran rigurosidad y atrocidad, poniendo a los indios en grandes tormentos de garrucha, allí colgados con piedras de dos y tres arrobas atadas a los pies, dándoles muchos azotes hasta que les corría la sangre por las espaldas y piernas, hasta el suelo; y sobre esto los pringaban como se acostumbraba hacer a los negros esclavos, con candelas de cera encendida y derritiendo sobre sus carnes la cera de ellas».

Diego Quijada, alcalde y justicia mayor de Yucatán, en una misiva al rey da cuenta de los «millones» de ídolos descubiertos allí y de la vehemencia con que los franciscanos habían llevado a cabo las pesquisas, pues «como algunos indios temiesen al rigor de los religiosos y por no dar sus ídolos, se iban a ahorcar a los montes, y éstos fueron hasta seis, y dos se dieron con piedras en la garganta».

Por su parte, el padre Landa hablaba sin rodeos de las atrocidades cometidas por los españoles en contra de los indígenas. Acusa que quemaron vivos a algunos indios de la provincia de Cupul y ahorcaron a otros. En Yobain, «prendieron a la gente principal y, en cepos, la metieron en una casa a la que prendieron fuego, abrasándola viva con la mayor inhumanidad del mundo».

Dice que él vio un gran árbol cerca del pueblo en el cual un capitán ahorcó a muchas mujeres indias, y de los pies de ellas a sus hijos. En otro ahorcaron a dos indias, «una doncella y la otra recién casada, no por otra culpa sino porque eran muy hermosas y temían que se revolviera el real de los españoles sobre ellas; de estas dos hay mucha memoria entre indios y españoles por su gran hermosura y por la crueldad con que las mataron».

Hicieron a los indios tormentos inauditos cortando narices, brazos y piernas, «y a las mujeres los pechos, y las echaban en aguas hondas con calabazas atadas a los pies; daban estocadas a los niños porque no andaban tanto como las madres, y si los llevaban en colleras y enfermaban, o no andaban tanto como los otros, cortábanles las cabezas por no pararse a soltarlos. Y trajeron gran número de mujeres y hombres cautivos para su servicio con semejantes tratamientos», concluye Landa.

Francisco Ximénez, refiriéndose a Chiapas, dice que entre los conquistadores vinieron muchos «de buena sangre y cristianos», pero fueron mucho menos «respecto de los malos». Entre estos últimos había numerosos «forajidos, muchos que no cabían en el mundo por sus delitos y otros que no teniendo un pie de tierra en España, ni un pan que comer, vinieron a estas partes y como dice el proverbio castellano: si quieres ver a un ruin, dadle un cargo».

Los españoles «se hallaban encarnizados en tiranías contra estos miserables» indios. A ello atribuye que se abandonaron esas provincias, anteriormente tan pobladas, «como hormigas; y ésta fue la rabia contra Bartolomé de las Casas, porque defendía a estos pobres, y se los sacó de las uñas».

Escribe que algunos indios en Chiapas fueron descuartizados por los españoles para vender su carne «y mantener a sus perros, para que cebados así acometiesen feroces». Que era tan común y corriente esto que se decían entre ellos: «Mate usted hoy y envíeme un cuarto de bellaco, que yo mataré mañana y se lo retornaré». Ximénez confiesa que «se estremecen las carnes al escribirlo por el horror que causa a la misma naturaleza».

DELITOS Y PECADOS DEL CLERO

El dominico Tomás de la Torre acompañó en 1544 a fray Bartolomé de las Casas en el decimosexto viaje trasatlántico del obispo. En su libro *Desde Salamanca, España, hasta Ciudad Real, Chiapas,* queda evidente que la crueldad de los primeros españoles en contra de los indios no era sólo de los conquistadores y de los encomenderos, sino también de algunos hombres de sotana, como un carmelita que «descalabró a muchos indios; pero dicen que no mató a ninguno, sino dizque cuando lo tenía aturdido llamaba a otro para que lo matase, diciendo que no quería él quedar irregular».

Las denuncias más airadas en contra de las atrocidades de los mismos sacerdotes no provienen de nadie que pudiéramos calificar de comecuras, sino de miembros del propio clero: «Todas las gentes de estas provincias son infieles y sin bautizar por no tener quién les enseñe nada, porque los cristianos que el rey les ha dado por curas no les enseñan sino lo que ellos hacen, que es robar, desollar, matar hombres, estuprar doncellas, sin ningún freno ni medida».

El fraile franciscano Juan de Zumárraga (1468-1547), primer obispo y arzobispo de México, famoso porque tuvo —de acuerdo con la tradición popular— varias entrevistas con Juan Diego (hoy santo) a raíz de las apariciones de la Virgen de Guadalupe, en las cartas que dirigió al rey de España habla de los abusos que los sacerdotes cometían en contra de los indígenas; pocas voces tan autorizadas para hablar de ese tema como la de este personaje. Consigna las desviaciones morales de la gente de la Iglesia, tanto de los curas del clero secular como de los frailes del clero regular. Uno de ellos se quiso pasar de listo y trajo en el navío trasatlántico a su manceba, haciéndola pasar por hermana. Lo hizo «con la permisión de vuestra majestad» y «está sin recibir castigo».

Por un caso similar, fray Juan desterró perpetuamente de la Nueva España a un tal Juan Rebollo, «que desde antes de que yo viniese a esta tierra ha tenido una Rebolla en esta ciudad y en otras partes; ha cometido otros excesos y es incorregible». Otro cura llamado Cristóbal de Torres provocó «por cuyas deshonestidades» que un marido matara a su mujer a puñaladas, y la Audiencia lo dejó «por libre, y por probado el adulterio con el dicho clérigo».

Los desvíos de los sacerdotes llegaban más lejos: el bachiller Barreda y su compañero Torres frecuentaban «casas donde había mujeres públicas».

Y otro más mató con sus propias manos a un indio porque lo acusó ante el obispo de que «había tomado a su mujer para manceba; y al día siguiente celebró misa sin absolución ni dispensación». En otra ocasión mató a una india «a poder de azotes, y otra que estupró murió de ello».

«Convendría —recomienda Zumárraga al rey— que los que acá pasasen fuesen escogidos virtuosos, buscados y sacados de las iglesias, y no los que los trae la concupiscencia de los ojos y de la carne.»

Por su parte, Juan Suárez de Peralta, sobrino político de Hernán Cortés, informa, no sabemos si con veracidad, que fray Juan de Zumárraga «mandó quemar» a un cacique de Texcoco que continuaba haciendo sacrificios humanos y practicando la antropofagia.

Luis de Anguís, doctor en teología, en 1561 envió una carta al rey Felipe II, desde la capital novohispana. En dicho documento queda claro que actuaba por órdenes del monarca y que de él recibió la instrucción de informarle «sobre las diferencias y poca conformidad entre prelados y religiosos», o sea, entre sacerdotes del clero secular frente a frailes del clero regular; casi increíble es esta denuncia suya acerca de la violencia física entre los curas, sobre todo por la construcción de templos y monasterios: «Han sucedido los mayores escándalos, en especial en este arzobispado y en el obispado de Michoacán. Muchas veces han llegado a las manos frailes y prelados, los unos por ocupar más tierra y los otros por echarlos de ella». Y más adelante agrega: «De aquí que los unos por pretender su poder, y los otros por derribarlos y deshacerlos, vienen a las puñadas». En el obispado de Michoacán los problemas se dieron entre los padres agustinos y los clérigos, «y como vinieron a tanto rencor los unos con los otros, amaneció quemada la casa de los frailes, y estuvo en poco que no se ardieran media docena de frailes de los que habían acudido a defender la casa».

Otro caso, en Colima, «costóles a los tristes indios la discordia ajena de frailes y prelados hartos azotes y coscorrones, y en venir y volver a México unos descalabrados y otros desollados; y si fue verdadera la información que el arzobispo hizo entre ellos, costó por ella a uno la vida y a otros cuatro o cinco haber llegado a punto de muerte».

En ocasiones los frailes juzgaban y sentenciaban a los indios a través de audiencias públicas «en que azotan, encorazan y castigan a los pobres, muchas veces tan cruelmente que no parecen ser padres como publican que son, sino enemigos sin caridad ni piedad, muchas veces por cosas levísimas, como el negocio que pasó en Oaxaca, de los indios que quemó el fraile...»

El español Francisco de Toral (¿-1571), franciscano, dominó perfectamente el náhuatl y el totonaco. Fue provincial de la orden de San Francisco en México y obispo de Yucatán. Después del bárbaro atentado contra la cultura universal que en aquella península cometió fray Diego de Landa al destruir miles de ídolos y códices mayas, Toral denuncia a Felipe II «que como no hay hombre docto entre estos padres ni menos conocen a los indios ni tienen caridad de Dios para sobrellevar sus miserias y flaquezas», cuando oyeron que algunos de ellos volvían a sus antiguos ritos e idolatrías, sin más averiguaciones ni pruebas comenzaron a atormentar a los indios «colgándolos en sogas, altos del suelo y poniéndoles grandes piedras en los pies, y a otros echándoles cera ardiendo en las barrigas y azotándolos bravamente». Así, esos sacerdotes arrancaban a los indios declaraciones por la fuerza. Hicieron dos autos de fe públicos con ceremonias de pendones y procesiones, «en las cuales echaron gran cantidad de sambenitos a los indios recién bautizados y azotaron a todos y los trasquilaron, condenándolos a servicio y esclavonía por tres, seis y diez años.

»Tenían presos a ciento y tantos principales en el monasterio, y andaban prendiendo más, para hacer un auto y quemarlos a todos, cosa de gran atrevimiento y libertad.»

Otros indios habían huido y se ahorcaban desesperados por haber confesado lo que no hicieron «y de temor porque si volvían los tornarían a colgar y acabarían su vida como la habían acabado otros de sus compañeros, que de los tormentos crueles murieron muchos y otros quedaron lisiados».

Le escribió Toral al rey «para que V. M. sepa que en lugar de doctrina han tenido tormentos estos miserables; y en lugar de darles a conocer a Dios, les han hecho desesperar; y en lugar de atraerlos al gremio de nuestra santa madre iglesia de Roma, los han echado a los montes; y lo peor es quien sustenta que sin tormentos no se puede predicar la ley de Dios…»

Pedro Moya de Contreras, virrey y arzobispo en la Nueva España, presidió la ejecución de «muchos penitenciados, entre los cuales sacaron a quemar dos». Por cierto que Moya fue acusado, quizá injustamente, de «amancebado, vicioso, deshonesto, jugador de naipes, soberbio, vengativo, desalmado y de mala conciencia», de acuerdo con un documento, probablemente «dictado por ruines pasiones». Moya celebró el primer auto de fe novohispano, en 1574.

En 1619, Cristóbal Gutiérrez de Luna escribió una biografía de Moya y afirma: «En el hábito y decencia del vestir, dispuso que los curas no trajesen seda ni cosa profana, y que no acompañasen mujeres, ni las llevasen en ancas de mulas ni caballos aunque fuesen sus madres ni parientas, pública ni secretamente, porque lo castigaba severísimamente sin excepción de persona».

En carta al rey Felipe II, Moya le hace pormenorizados y «reservados informes personales del clero de su diócesis». Omitiendo los nombres de los sacerdotes —para no ofender a sus descendientes—, hago este *collage* de pecados de muy variada índole, correspondientes a una veintena de clérigos: «[…] acude algunas veces con poca reverencia y limpieza de palabras; ha tenido fama de distraído en cosas de mujeres; ahora, con la edad, parece que está reformado. […] es deshonesto, aunque sirve bien su prebenda porque tiene buena voz; es buena lengua mexicana. […] es hombre sin letras y apenas sabe leer, muestra poco entendimiento y mal asiento de juicio, inquieto y vano, y distraído en negocios de mujeres. […] está mal acreditado en cosa de castidad y recogimiento. […] ha sido distraído en juego y vestidos, aunque ahora está enmendado. […] tiene poca habilidad y menos estudio; está infamado de jugador y deshonesto. […] bachiller en cánones, y sabe poco de ellos; hombre muy distraído, y castigado tres o cuatro veces por amancebado, y desterrado al presente por ello. […] muy perdido y de poco asiento. […] ha sido travieso en cosas de mujeres, aunque está algo asentado y reformado. […] muy idiota y ocioso, no entiende en ningún ejercicio de virtud, y en cosa de mujeres ha sido derramado. […] es muy deshonesto en sus cosas, y por ello ha sido castigado; no da muestras de virtuoso, antes es amigo de armas y de cosas seglares. […] mozo hábil, aunque muy distraído en cosas de mujeres, y por esto fue castigado siendo seglar y después, de clérigo. […] es muy colérico, al presente está suspenso y desterrado del arzobispado, además de otros castigos, porque dio una bofetada a un clérigo estando revestido para decir misa. […] siendo estudiante estuvo preso, porque se le imputó la muerte de un cuñado suyo, y huyó. […] ha sido algo notado en cosas de mujeres, al presente parece que anda recogido y honesto. […] ha sido preso por desatinos que ha hecho con cólera; de un año a esta parte parece que está más asentado. [...] ha sido castigado por jugador y pendenciero, y ha estado atado en la casa de locos por desatinos que hizo y porque tuvo perdido el juicio». Se puede apreciar que la constante en casi todos los anteriores curas son las faltas al voto de castidad.

En contraste con los casos mencionados que hemos mantenido anónimos, sí seamos indiscretos para exhibir al pedante clérigo Francisco Cervantes de Salazar, por su relevancia a mediados del siglo XVI, cuando incluso llegó a ser rector de la Real y Pontificia Universidad de México. Buen literato, autor de unos *Diálogos* en latín que protagonizan varios personajes en la ciudad de México, sobre él dice Moya de Contreras: «Es amigo de que le oigan y alaben, y agrádale la lisonja; es liviano y mudable, y no está bien acreditado de honesto y casto, y es ambicioso de honra, y persuádese que ha de ser obispo, sobre lo cual le han hecho algunas burlas».

A fray Antonio de Ciudad Real (1551-¿), sus largos viajes novohispanos le permitieron escribir este *Tratado curioso y docto de las grandezas de la Nueva España.* Allí menciona un escándalo muy sonado en aquella época: la franca rebeldía que en contra del visitador franciscano Alonso Ponce de León encabezó fray Pedro de San Sebastián, provincial en la ciudad de México, apoyado por el virrey. El padre Ponce tuvo que excomulgar a varios frailes por indisciplinados, pero finalmente fue expulsado por el virrey, con uso de la fuerza física: «El alcalde mayor y sus satélites le asieron y le bajaron arrastrando por la escalera y llevándole después asido de los pies, brazos y cabeza, le sacaron en peso por la portería a la calle, con tantas lágrimas y gemidos de todos, que cierto fue un espectáculo tristísimo y muy lastimero».

Los alborotos entre el clero no eran cosa inusitada: acerca del provincial rebelde, «en público y en secreto se murmuraba que en su elección habían intervenido sobornos, y que no había sido limpia».

Un fraile que llevó al convento de Cuernavaca instrucciones no gratas para sus colegas de ese lugar, una noche cuando dormía en su celda fue atacado por dos de ellos, «y tapándole uno la boca y deteniéndole las manos con los pies y cuerpo —porque le cogieron descuidado echado en la cama y se le echaron encima—, el otro le tomó la patente y otros papeles, y luego se fueron dejándole medio muerto».

Otro caso muy escandaloso sucedido en México, «con el que los frailes de San Francisco y con ellos fray Pedro de San Sebastián y sus secuaces perdieron mucho de su crédito», fue que más de treinta de ellos acudieron con espadas y otras armas, a las cuatro de la tarde, al convento de San Cosme y San Damián de los Descalzos, para aprehender a fray Francisco Séllez.

En otra ocasión, un monje lego trató de asesinar a fray Francisco de Tembleque, ya ciego, anciano y enfermo (el constructor de los famosos Arcos de Zempoala, en el estado de Hidalgo): «Le dio una cuchillada por la garganta pretendiendo segársela, pero el enfermo, que había sido hombre de grandes fuerzas y ánimo, así a tiento y a oscuras como estaba, le asió del cuchillo por lo agudo, y tirando el lego le segó los dedos, y luego le dio otras dos o tres estocadas por la garganta, algunas de las cuales llegaron a lo hueco, y por ellas respiraba».

El relajamiento de las buenas costumbres monacales no sólo era por la violencia, sino por la tendencia hacia otros pecados, como anota molesto en Ciudad Real. En el convento franciscano capitalino había «mucha franqueza y libertad, más de la que era razón entre frailes». Lo que más mal le pareció, y por lo que había muchas murmuraciones, «fue la demasiada rotura y disolución que hubo en entrar al convento y estar muy de propósito mujeres, no sólo la virreina y las suyas sino otras muchas, y andar por las celdas como si fuera casa profana y como si no hubiera breve apostólico que so graves penas y censuras prohíbe estas entradas». Había juegos, fiestas «y regocijos», y decían que un fraile lego nadó en un estanque en presencia de la virreina y que ella le tiraba naranjas.

FANATISMO RELIGIOSO

El dominico fray Julián Garcés transmite un informe al rey acerca de un juramento colectivo en el que participaron sacerdotes: «Llamado un barbero, nos sangró a todos, y a mí el primero, de la vena del corazón, y con la sangre escribimos nuestras protestaciones de que íbamos a enseñar la fe y a morir por ella. Y los indios enseñados y bautizados se querían pasar con nosotros y con lágrimas lo pedían».

Otro suceso se refiere a una india cristiana recién casada que preguntó al marido si estaba dispuesto a recibir el bautismo; «al negarse él, ella le negó el débito, o más bien el indébito conyugal, hasta que lo viera lavado en la pila bautismal».

Alonso de Zorita toca un espinoso asunto que hasta hoy, en pleno siglo XXI, sigue estando vigente. El tema de las *disciplinas* es para psicoanálisis freudiano; así se le llamaba a la autoflagelación con un látigo, para alejar las tentaciones carnales. Fray Martín de Valencia (uno de los doce franciscanos que llegaron en 1524) las practicaba, de acuerdo con esta información de Zorita: «Comenzó a mortificar la carne y sujetarla al espíritu con muchos ayunos y *disciplinas*», castigo al que se sometía dos veces diarias, para que «mediante la gracia de Dios, se aparejase a recibir martirio y por esta vía su corazón fuese cada día más inflado y desease padecer por Cristo». Iba aumentando cada vez más el rigor de su penitencia y siempre traía puesto un cilicio, especie de áspero cinturón de reatas apretado directamente sobre la carne para lastimarse. «Ya que él se había reprendido a sí mismo, se disciplinaba delante de todos y después se levantaba y besaba los pies a sus frailes.»

Una de las muy variadas y curiosas noticias que nos deja Juan de Torquemada se refiere al *traqueteado* y desaparecido cadáver de fray Martín de Valencia; él murió en 1534 y fue sepultado en una cueva, por el rumbo de Amecameca. Durante treinta años la sepultura fue abierta muchas veces, pues parecía cosa de milagro que el cuerpo no se hubiera corrompido y, así, era un foco de atracción para otros religiosos: «Aunque murió este santo, no consintió Dios que su cuerpo se revolviese a su primera formación, sino que permaneciendo entero, se conociese que aquella incorruptibilidad era por particular favor de Dios». De tanto abrir y cerrar la cueva que albergaba a fray Martín, su cuerpo desapareció: «Abierto el sepulcro y cavado bien hondo, no hallamos el cuerpo, ni indicio de él, sino algunas astillejas de madera, que serían del ataúd. Entiendo que fue permisión divina el haberse totalmente perdido esta santa reliquia, porque demasiada curiosidad, o por mejor decir tentación, era andar enterrando y desenterrando tantas veces un cuerpo, que era tenido en reputación de santo, y pudiera Dios hacer algún castigo».

En Semana Santa eran masivas las autoflagelaciones (y hoy día aún se pueden observar en Taxco y en otros lugares); se iban *disciplinando* de una iglesia a otra, y en el Jueves Santo podían ser miles los penitentes. Asegura Zorita que en Tlaxcala llegaban a reunirse hasta veinte mil hombres y mujeres, entre ellos muchos lisiados: «Entre los cojos uno era cosa notable de mirar porque tenía ambas piernas secas de las rodillas abajo, y de rodillas y ayudándose con una mano, se iba con la otra disciplinando, que en sólo andar tenía gran trabajo». Usaban «disciplinas de sangre», es decir con púas metálicas y los que «no alcanzan ni pueden haber aquellas estrelletas, se azotan con disciplinas de cordel, que no escuecen menos». En esto excedía Tlaxcala a todos los pueblos de Nueva España.

El capitán español Gaspar Pérez de Villagrá participó en 1596 en la expedición colonizadora de Nuevo México y escribió al respecto una curiosa *Historia* en verso. Los tormentos que se infligían a sí mismos los expedicionarios devotos en el Viernes Santo, flagelándose con las ásperas *disciplinas*, los relata Villagrá:

> hubo de penitentes muy contritos
> una sangrienta y grande *disciplina* [...]
> pues no menos por ellos fue vertida,
> aquella santa noche dolorosa,
> su muy preciosa sangre que por todos
> aquellos que la alcanzan y la gozan
> y porque su bondad no se excusase,
> a grandes voces por el campo a solas,
> descalzas las mujeres y los niños,
> misericordia todos le pedían,
> y los soldados juntos a dos puños,
> abriéndose por uno y otro lado
> con crueles azotes las espaldas,
> socorro con gran prisa les pedían,
> y los humildes hijos de Francisco,
> cubiertos de cilicios y devotos,
> instaban con clamores y plegarias
> porque Dios los oyese y ayudase [...].

El fervor fanático tenía otros excesos, según Zorita y varios historiadores más. En 1524, un grupo de niños recién evangelizados en la misma provincia de Tlaxcala linchó a un indio que se decía Dios del Vino: «Había alrededor de ellos infinita gente, diciendo él que era dios y los niños que no era sino diablo, y uno de ellos dijo: 'Veamos quién morirá, nosotros o este malo', y que se bajó por una piedra y dijo a los otros niños: 'Dios nos ayudará, echemos de aquí a este diablo', y tiróle la piedra y luego acudieron los otros niños, y aunque al principio el demonio hacía rostro, como cargaron todos los niños comenzó a huir y los niños tras él con gran grita, tirándole piedras, y que se les iba, pero que permitiéndolo Dios y mereciéndolo sus pecados y su gran soberbia en llamarse dios, tropezó y cayó, que no hubo caído cuando lo tenían muerto y cubierto de piedras».

HEREJÍAS

El obispo Pedro de Feria (1524-1588) descubrió en 1584 un desusado caso de apostasía, que atentaba contra la religión. Esto fue en los pueblos de Chiapa de los Naturales (hoy Chiapa de Corzo) y Suchiapa. En el texto *Reincidencia en sus idolatrías de los indios de Chiapas,* relata que había una cofradía de doce indios que se llamaban a sí mismos los doce apóstoles; salían de noche y se reunían en cuevas, «y so color de religión trataban cosas de sus ritos y culto del demonio, contra nuestra religión cristiana»; traían consigo dos mujeres, a una la llamaban Santa María y a la otra Magdalena, «con las cuales usaban muchas torpedades; hacían ciertas ceremonias y se espiritualizaban, ellos se convertían en dioses y las mujeres en diosas, y ellas habían de llevar y enviar los temporales, y dar muchas riquezas a quien quisiese».

De esa conspiración —que hubiera sido tema ideal para una película de Luis Buñuel— era el líder (no digo el Cristo, para no parecer irreverente) un viejo indio evangelizado —Juan Atonal, «aventajado cristiano»— y un hijo suyo, Cristóbal, que protagonizaba un caso más raro aún: tenía excelentes relaciones con su suegra.

Atonal «era idólatra, hereje y amancebado público» y su hijo, «habiendo sido castigado públicamente y desterrado por incestuoso con su suegra, había tornado a reincidir. Vistas estas informaciones, y la publicidad de los delitos, y el escándalo del pueblo, y la quiebra grande de la cristiandad, y la libertad y desvergüenza con que estas cosas se hacían y platicaban, parecióme que no debía pasarlas en disimulación».

Otras noticias da el cronista franciscano Antonio de Ciudad Real, como el asesinato de los frailes Francisco Gil y Andrés Ayala consumado por indígenas de la provincia de Jalisco. Por ello se llevaron presos a Guadalajara como a novecientos de ellos; algunos fueron liberados, otros fueron vendidos como esclavos por varios años y algunos de por vida; otros, «los más culpados», fueron descuartizados. Fue un fraile a recoger los cuerpos y las cabezas de las víctimas para enterrarlos en el convento; afirmaron los indios que no habían podido cocer en tres días la cabeza de fray Andrés y que «viendo esto le habían quitado la carne a pedazos en el fuego, como pareció después en el casco cuando dieron con las cabezas».

El librero mexicano Francisco Sedano (1742-1812) fue un incansable lector de su propia mercancía. Entre otras curiosas obras, escribió unas *Noticias de México* con singular información, entre ella los autos de fe, inmolaciones por faltas a la religión católica (por judaizantes, por brujería, etcétera). El primero celebrado en la Nueva España fue en 1536, en contra del alemán Andrés Morván, y el primero «relajado al fuego» (quemado vivo) fue el inglés George Ribli, en 1574.

A lo largo de toda la Colonia, ninguna familia fue tan perseguida por motivos religiosos como la del castellano Luis de Carvajal, El Mozo (1567?-1595), desde luego por el Tribunal de la Inquisición, cuya otra denominación pareciera ironía: el Santo Oficio.

Luis de Carvajal, El Viejo, emigró de España a México con su hermana y los ocho hijos de ella; era persona rica, pues vinieron en un barco de su propiedad. La hermana había enviudado de un portugués «judaizante», condenado en ausencia por la Inquisición a la quema de su efigie. Uno de sus hijos era Luis, El Mozo, de nombre completo Luis Rodríguez de Carvajal, aunque no lo usaba así. Aquí su tío llegó a ser gobernador del reino de Nuevo León hasta que fue enjuiciado también por judío, al igual que, de uno en uno, su hermana y todos sus sobrinos. Por medio de la tortura se obtenían denuncias entre parientes y, así, Carvajal, El Mozo, fue delatado por su tío y por su hermano Gaspar, a quien por cierto no lo salvó ser fraile dominico.

La primera causa en contra de Carvajal fue en 1589, cuando tenía veintidós años de edad. Se le acusó de judaizante, hereje y apóstata, lo que le valió la confiscación de sus bienes, reclusión de cuatro años y vestir el sambenito. Su segundo juicio fue en 1595 y se le imputó ser judaizante relapso, pertinaz e impenitente; este proceso le costó la vida.

Los principales indicios que la Inquisición investigaba en su persecución a los judíos eran, es obvio, los que caracterizan a los practicantes de esa religión: no comer carne de puerco ni de pescado sin escamas, degollar a los animales destinados para alimento a fin de que se desangren al máximo, el canto de salmos, la circuncisión y, en fin, lavar a sus muertos.

Una prueba fehaciente para identificar a los varones judíos era justamente la circuncisión (hoy ya no lo es, pues en otros pueblos se empieza a acostumbrar con fines sanitarios). Luis de Carvajal declaró que él mismo se había circuncidado en Pánuco con unas tijeras rotas y que estuvo en riesgo de morir; que no lo hizo del todo por ser mucho el dolor. Su hermano Baltasar se cortó el prepucio con la navaja de un barbero. «Ha hallado que después de que se circuncidó, le ha valido de armadura fuerte contra la lujuria y para resistirla, porque antes era torpe, deshonesto, carnal y lujurioso.»

En el proceso de Carvajal salieron a la luz las afirmaciones de otros judíos, afrentosas para los cristianos: que la Virgen María era una «mujercilla embaidora»; que un día vino a visitarla un herrero que la andaba enamorando, y «estando con su menstruo tuvo acceso carnal con ella y entonces engendraron a nuestro Redentor Jesucristo, llamándole el perro embaidor, barbillas, bestia abominable». Que Cristo había sido un gran pecador y asimismo los papas y todos los prelados de las iglesias que seguían su doctrina, y que estuvo «amancebado con la Magdalena»; que cuando fue a pedirle perdón, «la estaba contemplando para pecar con ella». Que «Nuestra Señora está en los infiernos y era una puta que había parido cinco veces».

Carvajal era soltero y vivía con su madre. El amor por ella y por sus hermanos fue violado en el potro, instrumento medieval para torturar: denunció a ciento veintiún observantes de la Ley de Moisés, entre ellos a sus propios familiares. Desde el primer proceso contra Carvajal, el fiscal Lobo Guerrero, de atinado nombre, pedía al tribunal: «Pido que sea puesto a cuestión de tormento, en que esté y persevere hasta que enteramente confiese la verdad».

En la segunda causa, el tribunal lo aprobó «para que diga la verdad; que si en el dicho tormento muriere o fuere lisiado o siguiere efusión de sangre o mutilación de miembro, sea a su cargo y no al nuestro». Se llevó a cabo estando desnudo y amarrado: se dio la primera vuelta al diabólico aparato; a la segunda «dio grandes voces ¡ay! ¡ay! ¡ay! y que su hermana Anica guarda la Ley que dio Dios a Moisés, lo cual decía llorando». A la tercera vuelta: «¡Ay de mí!, y amonestado para que diga la verdad, se mandó dar cuarta vuelta, y quejábase muy mucho ¡ay! ¡ay! ¡ay!». Después de la quinta vuelta, sus victimarios «salieron de la cámara del tormento a comer, donde quedó Carvajal, al cual mandaron que se pusiese sus vestidos porque no estuviese desnudo y por hacer frío».

La desesperación de Carvajal lo llevó a intentar el suicidio, lanzándose al patio desde los corredores altos de la prisión. No logró matarse, pero sí resultó muy lastimado. La notable firmeza que tenía en la fe judía y su misticismo —más patológico que religioso— se apoyaban, según él, en visiones celestes. En su causa judicial se asienta «que desea como la salvación, venga el día en que ha de morir, no como vil ahorcado, sino en fuego vivo, porque tenga más gloria, porque con esto piensa salir de las prisiones y grillos en que está, e irse a los cielos».

El reo fue condenado a ser llevado por las calles de esta ciudad «en una bestia de albarda y con voz de pregonero que manifieste su delito», hasta la plaza de San Hipólito, para allí ser «quemado vivo y en vivas llamas de fuego, hasta que se convierta en ceniza y de él no haya ni quede memoria». Por el camino hizo demostraciones de haberse convertido «y tomó en la mano un crucifijo, y dijo algunas palabras por las cuales se entendió haberse arrepentido»; por ello, al llegar al lugar donde estaba la hoguera, fue conmutada la sentencia: «Le fue dado garrote hasta que murió naturalmente, a lo que pareció, y le fue puesto fuego hasta que su cuerpo quedó ardiendo en vivas llamas para que fuese hecho ceniza».

TORTURAS
Y OTRAS BRUTALIDADES

Fray Jerónimo de Alcalá relata una de las torturas más brutales vividas en nuestra historia. Cuando el crudelísimo Nuño de Guzmán estuvo en Michoacán, al inicio de su sangrienta campaña en el occidente, ordenó torturar al rey tarasco y a otros caciques: «Y empezáronles a dar tormento y colgábanlos; y diéronle tormento a él en sus partes vergonzosas con una verdasca.

»—¡Di la verdad!

»Y atáronle las manos y echábanle agua por las narices y empezaron a preguntarle por el tesoro que tenía y un ídolo de oro grande, y decíanle:

»—¿Es verdad que tienes un ídolo grande de oro?

»Díjoles el *cazonci:*

»—¡No tengo, señores!»

Guzmán dispuso que el *cazonci* fuera arrastrado vivo por un caballo y después quemado. «Y atáronle en un petate a la cola de un caballo. E iba un español encima». Después, aún vivo, lo amarraron a un palo. «Y diéronle garrote y ahogáronle y así murió. Y pusieron en derredor de él mucha leña y quemáronle. Y sus criados andaban recogiendo por allí las cenizas, e hízolas echar Guzmán en el río.»

En otro caso, los indios reunieron «cuatrocientas lunetas de oro y rodelas y ochenta tenacetas de oro», pero otro principal les dijo que sólo dieran a Guzmán doscientas de aquellas joyas. El bárbaro español sospechó que había más y le dieron tormento, tanto «que muestra hoy en día las marcas de los cordeles en los brazos».

Bartolomé de las Casas da esta otra versión acerca de la devastadora entrada de Nuño de Guzmán a Michoacán, que culminó con el tormento y muerte del cacique, «porque tenía fama de muy rico de oro y plata». Acostado y amarrado, le empezaron a quemar los pies untándoselos con aceite, «para tostarle bien los cueros»; estaba flanqueado por un hombre armado con una ballesta apuntándole al corazón y por otro con «un muy terrible perro bravo echándoselo, que en un credo lo despedazara».

Un sobrino político de Hernán Cortés, Juan Suárez de Peralta, relata un pasaje del mayor interés. En la época del virrey Antonio de Mendoza se descubrió una conjura y a los siete responsables «se les dieron crueles tormentos. Fueron sentenciados a ahorcar y hacer cuartos y arrastrar. Yo los vi, siendo harto muchacho, y me acuerdo dieron mucha lástima, y oí decir que morían sin culpa». Martín Cortés, segundo marqués del Valle de Oaxaca (por supuesto, hijo de Hernán), fue acusado en 1565 de pretender erigirse como rey de México. Aunque estaba casado y con hijos, «lo que le destruyó fue que traía requiebro con una señora» y usaba de un boato verdaderamente regio. Descubierta la conspiración —que en realidad no llegó a mayores—, hubo muchos presos sometidos a tormento y ejecutados, en tanto que el marqués y su hermano Luis fueron enviados a España, donde se les juzgó y condenó, para finalmente perdonarlos. A otro hermano, también llamado Martín (hijo de la Malinche), caballero de Santiago, se le torturó tendido «en el burro y le desnudaron y le descoyuntaron; era una lástima, la mayor de la tierra».

Entre los detenidos había muchos clérigos, como fray Luis Cal, guardián del monasterio de Tlatelolco, el padre Maldonado y el deán de México, remitido a España donde «se le dieron grandísimos tormentos, siendo sacerdote y caballero; quedó privado de su dignidad y aun manco de lo que pasó en el tormento».

A otros conjurados les fue peor, a causa de un verdugo mal capacitado. A Alonso de Ávila «el cruel verdugo le dio tres golpes [de hacha], como quien corta la cabeza a un carnero; a cada golpe que le daba, ponía la gente los gritos en el cielo. Le vi yo la cabeza en la picota, atravesado un largo clavo desde la coronilla metido por aquel regalado casco, atravesando los sesos y carne delicada». A su hermano Gil le tocó el mismo ejecutor: «Se tendió como un cordero y luego le cortó la cabeza el verdugo, el cual no estaba bien industriado, y fue haciéndole padecer un rato, que fue otra lástima y no poca». Ambas cabezas fueron colocadas en la picota, para su permanente exhibición; los bienes de los reos se confiscaron y derribáronse sus casas, cubriendo de sal las ruinas. Esa familia sufrió un trágico destino, pues todos los hermanos «tuvieron desastradísimos fines»: uno, siendo niño, se ahogó en una letrina, y una hermana «enredóse en unos muy tiernos amores, con notable despojo al honor de sus padres»; fue encerrada en un convento y se hizo monja, para finalmente ahorcarse en un árbol de la huerta.

A Baltasar de Aguilar también lo apresaron «y luego le desnudan y danle el más bravo tormento que jamás se vio, que lo hicieron pedazos». A otros los descuartizaron («hicieron cuartos»), incluido un hombre de ochenta años, «que no podía andar sino con dos muletas, la barba y la cabeza blanca». Otros más fueron despojados de sus bienes, desterrados para siempre y enviados a galeras «en la goleta de su majestad».

El doctor Carrillo, uno de los dos jueces que ordenó tantas carnicerías, en el barco, de vuelta a España, sufrió «una apoplejía terrible», perdió el habla y «hacíanle abrir la boca con unos palos para hacerle pasar algunos brebajos», mas finalmente murió. «Por no echarle en la mar, dieron orden de abrirle y sacarle las tripas y salarle», pero en una tormenta los marineros lo echaron al agua, achacándole al muerto la furia natural.

Ahora que el Vaticano beatificó (en 1990) a los llamados Niños Mártires de Tlaxcala, es pertinente recordar —con fray Juan de Torquemada— el caso del osado Cristóbal, el más famoso de ellos, sucedido en los primeros años del México recién conquistado. El niño llegó a excesos muy peligrosos con su padre alcohólico. Con palabras trató de alejarlo del pulque y de la religión prehispánica y, como fuera en vano, se dedicó a destruirle ídolos, tinajas y vasijas, hasta que su desalmado progenitor, robusto y fuerte, lo agarró por los cabellos y lo atacó ferozmente a patadas. «Como encarnizado lobo cebado en la sangre de un cordero, tomó un palo grueso de encina y le dio con él muchos y muy crueles golpes, hasta que le quebrantó y molió los brazos y piernas, y las manos con que defendía la cabeza; pero como era niño de pocas fuerzas y el cruel bárbaro excedía en ellas, ningunas le bastaron; púsole tales golpes, que de todo su cuerpo corría sangre.» Después lo echó, aún vivo, sobre una gran fogata y «en este fuego lo revolvió, ya de pechos, ya de espaldas».

Torquemada informa asimismo de un raro caso de antropofagia sucedido varias décadas después de la Conquista, en Nayarit. Una compañía de soldados novohispanos salió a aprehender a unos malhechores huicholes, y llevaron con ellos a dos mil «indios amigos de la sierra de Tepic»; y en una refriega que tuvieron, «mató un tepecano a un guaynomoteco, metiéndole una flecha por el pecho, con que le atravesó el corazón, y abalanzóse luego a beberle la sangre, y muchos de sus compañeros, con cuchillos a partirlo, para llevárselo a sus ranchos a comerlo; y viéndolo algunos de nuestros españoles, estorbaron aquel inhumano hecho, reprendiéndoles la crueldad».

Fray Antonio de Remesal, dominico español, viene a América en 1613. Su voluminosa *Historia general de las Indias occidentales y particular de Chiapa y Guatemala* es una rica fuente de variada información. Uno de los principales problemas que tuvieron que enfrentar los españoles —civiles y religiosos— en la provincia chiapaneca del siglo XVI fueron los ataques de los lacandones. En uno de ellos, mataron y tomaron prisionera a mucha gente; sacrificaron a niños sobre los altares católicos y les sacaron los corazones, y con la sangre untaron las imágenes que estaban en la iglesia, y al pie de la cruz sacrificaron a otros; hecho esto, «a voz alta comenzaron a decir y pregonar: 'Cristianos, decid a vuestro dios que os defienda'».

Para combatir a esos indígenas, partió una expedición de Comitán rumbo a la laguna de Lacandón, sitio todo de peña viva, «tanto que por no haber tierra en que enterrar a los difuntos, los echaban al agua, y por esta causa era el pescado grueso, particularmente las tortugas». Por ello, sabiendo los españoles que se sustentaban de cuerpos muertos, «no les quisieron comer por el horror que les causó. Y como no reparaban en esto los indios, tuvieron mucho regalo». Es decir, «entre menos burros, más olotes».

Y a propósito de lacandones y alimento, un fraile estuvo cerca de ser adobado cuando creyó ingenuamente que ya había logrado convencer a los indios de acoger la fe católica («en este punto estaba el negocio y el religioso agradecidísimo por la merced que Nuestro Señor le había hecho con aquellos bárbaros para persuadirles de lo que era bien»). En esas andaba, cuando se rebelaron unos indios y acudieron a la casa del padre, y con mucho enojo le comenzaron a maltratar de palabra, «y entre las muy pesadas y de mucho desconsuelo suyo que le dijeron, fue que venían resueltos a matarle y comérselo en chile, para que así pagase la temeridad que había hecho en osar entrar a la isla, y venir a ellos». Este caso no llegó a ser *nota roja* (ni verde, de pipián), pues no pasó a mayores.

El capitán español Martín Alfonso Tovilla escribió una *Relación histórica de las provincias de la Verapaz* y confirma la información de que los lacandones hacían sacrificios humanos similares a los de los aztecas, mayas y otros pueblos mesoamericanos, pero en época muy posterior a la Conquista de México. Un grupo de españoles realizaba exploraciones, por acuerdo real, para localizar un paso desde Verapaz hacia Yucatán, a través de la selva; llevaban instrucciones de «coger o reducir» las poblaciones de indios que encontraran por el camino, porque dos meses antes habían llegado los lacandones hasta rancherías guatemaltecas «y se habían llevado siete indios cautivos, dejando dos niños sacrificados, sacados los corazones».

EROTISMO, PROSTITUCIÓN, HOMOSEXUALIDAD Y ADULTERIO

Fray Julián Garcés sostiene en su *Alegato en pro de los naturales* que entre los indios «es tan extremado el cuidado y observancia del pudor, que, en público, ni el rapazuelo más insignificante osa salir a la calle sin *maxtli,* esto es, sin estar subligado».

Sobre la fe cristiana de los indios, el fraile da numerosos testimonios que la ejemplifican. Un indio se acusó en confesión de que, «estando en la cama con su mujer, había caído en voluptuosa recordación de otra en cuyo deseo ardía».

Dos homosexuales ocultaron en sus confesiones «el pecado nefando; aquejados de una grave dolencia, declararon sacramentalmente su crimen llenos de compunción y en un mar de llanto: sanaron de ambas enfermedades».

A fray Diego Durán le escandalizaban algunas costumbres autóctonas, como la de los indios que tomaban baños de temazcal en grupo: «Hay algunas veces tanta confusión y deshonestidad que, por andar todos revueltos y desnudos, no podrá dejar de haber grandes males y ofensa a nuestro Señor».

Por cierto que Durán era conservador también en materia de diversiones: «Había otro baile, tan agudillo y deshonesto, con tantos meneos y visajes y monerías, que fácilmente se verá ser baile de mujeres deshonestas y de hombres livianos».

Fray Jerónimo de Alcalá relata que, cuando llegaron los conquistadores a Michoacán, regalaron al rey varios puercos y un can y «dijéronle que aquel perro sería para guardar a su mujer». Como correspondencia, el cacique les obsequió mantas y otros presentes. «Y como viese el *cazonci* aquellos puercos, dijo: '¿Qué cosa son éstos?, ¿son ratones que trae esta gente?' « Y como lo tomó por mal agüero, mandó matar a los animales. «Arrastrándolos, los echaron por los herbazales. Y los españoles, antes de que se fuesen, llevaron dos indias consigo, que le pidieron al *cazonci* de sus parientas, y por el camino juntábanse con ellas...»

El connotado español Vasco de Quiroga (1470?-1565), visionario y realizador, adelantado de la Ilustración, oidor en Nueva España y obispo de Michoacán, introductor entre los tarascos de artes y oficios de reconocida excelencia que hasta la fecha perduran, promotor económico y de desarrollo social, implantó la utopía concebida en Europa por Tomás Moro a través de dos «hospitales-pueblo», uno en la capitalina Santa Fe y otro en Pátzcuaro. En las *Reglas y ordenanzas* que dispuso para «el gobierno de los hospitales», una de ellas establece que los padres y las madres «procuréis casar a vuestros hijos siendo de edad legítima, ellos de catorce años para arriba y ellas de doce [¡!], y todo siempre según orden de la Santa Madre Iglesia de Roma, y no clandestinamente».

En el viaje que realizó el visitador Gómez Nieto por la Huasteca, verificó el cumplimiento de las ordenanzas vigentes, dispuestas por el gobernador de Pánuco. Ellas establecían que los españoles que estuvieran «abarraganados y amancebados con india» sólo pudieran hacerlo si ya estaban bautizadas; si no lo estaban, «mandaréis que se aparten del dicho pecado, y si tornaren a perseverar en él, procederéis contra ellos conforme a justicia». También había previsiones contra los juegos de dados y naipes.

Recibió denuncias en contra de un tal Benito, negro, que tenía tres mujeres indias, acusadas de ladronas. El visitador las reprendió y amenazó con «azotes por la primera vez y por la segunda que les serán cortadas las orejas».

Un indígena declaró que tenía asimismo tres mujeres, «y luego el señor visitador mandó que las trajese ante él para hacer aquello que la ordenanza en este caso habla», es decir, que sólo conservaría a la esposa preferida.

En medio de su castidad, fray Tomás de la Torre no tenía ojos para el sexo bello, uvas verdes para él: «Todos los naturales de esta tierra de Yucatán son muy lindos hombres, que es placer verlos; andan desnudos; las mujeres son feas y abominables, andan descalzas y con el cabello suelto y una manta rodeada y mal atada, traen desnudo del ombligo arriba y de la rodilla abajo es abominable verlas».

Al oidor sordo Alonso de Zorita, de regreso a España le decomisaron todos sus ahorros, acusado de soborno y negligencia en su función pública en la Nueva España: «Un tal Francisco Díaz de Ayala, bajo tortura, había confesado una relación sexual contra natura con don Juan Saavedra Cervantes, pero se había negado a firmar su declaración al día siguiente». A causa de esto, la tortura habría tenido que repetirse; Zorita omitió, sin embargo, dar la orden al respecto. Como resultado del descuido evidenciado por él en este caso, el acusado no sólo no había sido castigado, sino que, además, había logrado huir de la prisión.

Juan Suárez de Peralta da cuenta de un curioso suceso. Durante el virreinato de Luis de Velasco, padre, se envió un barco a explorar la Florida y zarpó de Veracruz con soldados y prostitutas, pero con escasez de bastimentos: «Todo se les iba los primeros días en amores, que llevaron muchas mujeres, y lo que subió el valor de la carne para comer vino a valer tan barata esta otra, que andaban a escoger».

El español Diego García de Palacio (1524-1599), marino de guerra, fiscal y oidor en Guatemala —donde construyó dos barcos por cuenta de la Corona, resultando costos ocho veces más caros que los habituales en Manila—, oidor y alcalde del crimen en México, rector de la Universidad y consultor del Santo Oficio, en 1587 es suspendido en sus cargos por su corrupta voracidad en el ejercicio público. Enfrentó setenta y dos acusaciones por robos y abusos, despojos, sobre todo a indios, extorsión y cohechos, concesiones indebidas a parientes, empleados y amigos. Con base en *chicanas* y argucias legaloides, finalmente sólo subsistieron los cargos de despojo de tierras y aun de ellos, con apelaciones e influencias, jamás fueron cumplidas las sentencias.

Como hasta hoy sucede, el funcionario tenía dos caras: la oculta —y no mucho— de la corrupción, y la pública, con la cual emitió unas *Ordenanzas* con aspectos que podríamos llamar morales, para protección de los indios. En ellas establece que no hospeden en sus casas a españoles ni a mercaderes, pues «los agravian con sus mujeres e hijas, como la experiencia lo ha mostrado».

También recomienda que las mujeres casadas sólo vivan con su esposo, en la casa de ambos, y no en ninguna otra, «aunque sea de padre o suegro». «Notoria cosa son los incestos nefandos, estupros, adulterios y otros delitos que suceden entre estos naturales por vivir juntos y no tener casas [propias].»

Manda no perseguir a la mujer adúltera «si no fuere a pedimento del marido», a diferencia de la costumbre prehispánica, que perseguía ese delito de oficio. Esto último provocaba que «los ministros de la justicia las fuercen a pecar» con ellos, bajo la amenaza de hacer «saber al marido el pecado de su mujer».

Asimismo prohíbe el uso de *tamemes,* o sea de cargadores, pues a veces los caciques «cárganlos por venganza y satisfacción de los enojos que de ellos toman y algunas veces para que, echándolos de su casa, los puedan mejor afrentar con sus mujeres, o matarlos; parece cruel cosa, que habiendo tantas cabalgaduras y tan baratas, usemos de hombres en el oficio para que fueron creadas las bestias».

Reconoce como una de las principales culpas de los españoles frente a los indios, «el exceso que en venderles vino hay y ha habido, del que resultan grandes ofensas a Dios, perdición en sus personas y haciendas».

Igualmente acepta que «todos desean libertad en sus personas y cosas, y así se aborrece y odia a quien quita o reprime tal libertad, por lo cual parece que estos naturales naturalmente nos aborrecen».

El judío Luis de Carvajal, El Mozo, declaró en el proceso que le costó la vida diversa información referida a actos de bestialismo en las celdas de la Inquisición. A un tal Gaspar de Villafranca «le tiene por somético, porque así como se levanta de la cama por las mañanas, descubre sus vergüenzas y las partes traseras, y ha visto una vez que tenía junto un gato que se ha criado en la misma cárcel, y tiene por sin duda que tenía acto torpe y deshonesto con él».

Por otra parte, fray Juan Ramírez acusa el hacinamiento y reclusión que sufrían los indios encomendados. En los lugares donde los encerraban, «se cometen los cuatro pecados que piden a Dios venganza, que son opresión de pobres, defraudación del jornal del obrero, homicidio y el pecado extraordinario, porque de noche los encierran en aposentos muy peligrosos, para que puedan cometer unos con otros pecados gravísimos».

Escuchemos a fray Antonio de Remesal este divertido comentario sobre las primeras épocas evangelizadoras en Chiapas y las dificultades de los frailes para cambiar las costumbres de los indios: «De los sacrificios fácil fue apartarlos y de buena gana enterraron los ídolos muertos; pero de los vivos, que eran sus mujeres, no había remedio para dejar ni una sola de las muchas que tenían». Cuando llegaban los padres a este punto, cada una de las esposas era la principal, la más querida y la más necesaria en la casa, todas se defendían, todas lloraban, todas mostraban a sus pequeños hijos y todas alegaban razones para que no las dejasen, «y el indio tierno y aficionado sentía mucho el despojo de prendas tan queridas, y llamábase a engaño porque cuando se bautizó nunca le dijeron tal cosa, porque si aquello le declararan no se hiciera persona de Castilla, que así se llamaba entonces a los bautizados».

El investigador Julio César Montané Martí, autor de diversos libros, la mayoría de tema sonorense, escribió un ensayo sobre la homosexualidad en esa provincia practicada durante el virreinato: *El pecado nefando en la Sonora colonial,* en el cual revisa asimismo ese fenómeno en otras provincias del noroeste de México. En 1538, en

Compostela, Nayarit, un interrogatorio cuestionaba si los indios, «cuando quieren ayuntarse varón con mujer, lo hacen en presencia de todos, y si toman a las mujeres por las espaldas, como animales». La pregunta no era impertinente, pues en la península de Baja California —informa Pedro Castañeda— «se juntaban hombre y mujer poniéndose la hembra en cuatro pies, públicamente».

En 1533 ya existía noticia de que entre los indios de Culiacán había «muchos bujarrones, es decir sodomitas». Siete años después escribe el mismo Castañeda que «había entre ellos hombres en hábito de mujeres que se casaban con otros hombres y les servían de mujeres».

En 1539, Francisco Preciado relata los ofrecimientos sexuales que les hacían los indígenas a los españoles en aquella península: «Les hacían señas si querían alguna india de fornicar, señalando con el dedo las nalgas y actos deshonestos». Posteriormente, «comenzaron por burla a mostrarnos las nalgas haciendo señas que les besáramos el trasero».

Al año siguiente, Hernando de Alarcón conoció en un pueblo por el río Colorado a cuatro hombres con indumentaria femenina, incluido el hijo del jefe de la tribu, quien estaba orgulloso de su vástago. Cuando uno de ellos moría, era sustituido por otro, lo que evidenciaba una función social. «No pueden tener comercio carnal con ninguna mujer, sino solamente con los jóvenes que están por casarse.» «Igualmente vi algunas mujeres que conversaban deshonestamente entre los hombres.»

NAUFRAGIOS Y ACCIDENTES

Uno de los sucesos más dramáticos de nuestra historia fue encabezado por Álvar Núñez Cabeza de Vaca de 1527 a 1535. Participó en la frustrada expedición de Pánfilo de Narváez a Florida, en la que seiscientos hombres murieron en tormentas y naufragios, flechados por los indios, ahogados al intentar cruzar ríos, de hambre y de frío, por enfermedades y algunos comidos por compañeros españoles hambrientos. Finalmente, sólo hubo cuatro sobrevivientes. Desde el naufragio frente a Tampa, Florida, hasta la llegada caminando a México por Chihuahua, Sonora, Sinaloa y Nayarit y luego hacia la capital (después de cruzar a pie el territorio actual de Estados Unidos), pasaron casi diez años de huidas y esclavitud en manos de indígenas, años de desnudez, años comiendo con frecuencia maíz crudo. *Naufragios* es la historia de esa historia vivida y escrita por Cabeza de Vaca.

En 1527 se embarca con Narváez en España. A la expedición le fue mal desde que comenzó, pues primero encallan en el Caribe y luego una tormenta los arroja a Florida, donde naufragan. Los sufrimientos de los sobrevivientes se hilaron unos con otros: los que no se ahogaron subsistieron en la costa recolectando mariscos entre las rocas y entradas de mar; los indios «nos mataron diez hombres a la vista del real, sin que los pudiésemos socorrer, los cuales hallamos atravesados de parte a parte con flechas». Ello no obstante que iban armados, pues «no bastaron a resistir para que esto no se hiciese, por flechar con tanta destreza y fuerza». Además se murieron más de cuarenta hombres de enfermedades y de hambre. «Como hacía cinco días que no bebíamos, la sed fue tanta que nos puso en la necesidad de beber agua salada, y algunos se desatentaron tanto en ello, que súbitamente se nos murieron cinco hombres.»

Al paso del tiempo su situación fue empeorando, hasta llegar a prácticas antropofágicas muy poco conocidas, pues entre agudos fríos y fuertes tempestades, el hambre se generalizó: «Comenzóse a morir la gente; y cinco cristianos que estaban en la costa llegaron a tal extremo, que se comieron los unos a los otros, hasta que quedó uno solo, que por ser solo no hubo quién lo comiese».

Después de casi una década de mortificaciones, sólo quedaron cuatro sobrevivientes: Alonso del Castillo Maldonado, Andrés Dorantes, el negro Estebanico y Cabeza de Vaca; llegaron a México atravesando el continente a pie.

En Nayarit, lo único que le faltaba a Cabeza de Vaca y a sus compañeros era ser, de hecho, prisioneros de los propios españoles pertenecientes a las hordas de Nuño de Guzmán: «Y así como lo pensaron, lo hicieron; lleváronnos por aquellos montes dos días, sin agua, perdidos y sin camino, y todos pensamos perecer de sed». Los españoles que encontraron llevaban quinientos indios hechos esclavos. Llegaron a Compostela, donde el gobernador los recibió muy bien, «y de lo que tenía nos dio de vestir; lo cual yo por muchos días no pude traer, ni podíamos dormir sino en el suelo; y pasados diez o doce días partimos para México».

La vida de naufragios de Cabeza de Vaca aún no había terminado: el barco en el que iba a regresar de Veracruz a España fue destrozado por una tormenta en el golfo de México; en el segundo intento permanece más de quince días embarcado sin moverse, por falta de viento; por fin sopla y el barco hacía agua; en las Bermudas otra tormenta los hace perder el rumbo y, finalmente, son atacados más adelante por un navío de corsarios franceses que, por cierto, llevaba presa una carabela portuguesa cargada de negros esclavos. De milagro llegó Cabeza de Vaca a España.

Conocemos pocos relatos tan dramáticos como éste de fray Tomás de la Torre, referido a una tormenta nocturna sufrida por un grupo de dominicos en un viejo navío entre la aldea de Campeche (que entonces no era más que eso, aquella hermosa ciudad) y la laguna de Términos. Sucumbió «la barca, vieja y en demasía cargada; además hacía agua». Los marineros se negaron a tirar la carga al mar, para aligerar la embarcación. Las olas pasaban por arriba de la cubierta y se llevaron a muchas personas al mar, ahogándose la mayoría. Un fraile se abrazó al mástil y fue rodeado por seglares «que a grandes voces le decían y confesaban sus pecados; él les santiguaba y decía que llamasen a Dios y le pidiesen perdón».

Otro fraile cayó al mar y se pudo agarrar fuertemente a una argolla donde ataban las anclas; desde allí estiró la pierna para darle el pie a uno que se ahogaba; a punto de salvarlo una ola lo alejó «y se lo llevó, de donde nunca más tornó». Otros que también lograron detenerse de algún lugar estuvieron prendidos allí hasta que el cansancio y el agitado movimiento del navío los hizo soltarse y desaparecer en la noche.

«Fray Juan Carrión estuvo un rato asido a la jarcia y allí le quisieron quitar el escapulario; pero dijo que pues si no lo podían sacar, lo dejaran morir en su hábito, y así encomendándose a Dios murió.» Mientras que muchos se ahogaban ante los ojos de un fraile, éste les rezaba el credo y la letanía, hasta que una ola lo arrastró y corrió la misma suerte. Ahogáronse por todos treinta y dos personas, nueve religiosos y los demás seglares, «algunos mancebos y buenos nadadores».

Desde las costas campechanas, el grupo sobreviviente de dominicos siguió en un penoso recorrido hasta Ciudad Real, hoy San Cristóbal de las Casas. El drama vivido en ese trayecto y el esfuerzo físico casi parecieran comparables con el naufragio de semanas antes. En las anfractuosidades chiapanecas, algunos quedaron para siempre: un joven enfermó en Tlapelula, «donde despidió el mal echando por las narices infinidad de gusanos [vivos]».

También fray Diego de Landa reseña un naufragio sucedido entre Honduras y Yucatán, donde unos sobrevivientes subsistieron varios días abrazados a un gran pedazo de mástil del navío, ahogándose cuando les faltaron las fuerzas, «menos Majuelas que salió medio muerto y tornó en sí comiendo caracolejos y almejas»; desde una isleta pasó a tierra firme en una balsa que hizo, y buscando de comer en la ribera «topó con un cangrejo que le cortó el dedo pulgar por la primera coyuntura con gravísimo dolor. Y tomó a tiento la derrota por un áspero monte, y anochecido se subió a un árbol y desde allí vio un gran tigre que se puso en acechanza de una cierva», y lo vio matarla y a la mañana siguiente él mismo comió de lo que había quedado del antílope.

Pedro Fernández de Quirós (1565-1615) —portugués al servicio de España— fue piloto mayor de Álvaro de Mendaña en su viaje de 1595, para continuar la búsqueda de las mitológicas islas del rey Salomón en Asia. Zarpan del Perú en dos barcos, uno de los cuales se perdió para siempre en el Pacífico, ese mismo año. Como se puede ver en el párrafo siguiente, las tormentas sobrecogedoras no eran cosa desconocida para aquellos extraordinarios hombres de mar:

«¡Córtese él árbol mayor, que es el que nos lleva a fondo! Unos decían que sí, otros que no, y en un instante con hachuelas y machetes se cortó la jarcia de sotavento.» El capitán llamaba a los pilotos para tomarles su parecer: «Ellos se hacían sordos; las diligencias que hicieron eran las que al alma importan. Unos se confiesan luego, otros piden perdón, y perdonan, se abrazan y despiden, unos gimen y otros lloran, y muchos por los rincones estaban esperando la muerte; se oyeron los suspiros, los votos y las promesas, y grandes coloquios con Dios».

A las furias de la naturaleza continuaron otras penas, en aguas territoriales mexicanas. El padre comisario, que ya venía enfermo («yo entiendo que por falta de sustancias y por su mucha vejez»), entró en agonía y a la media noche «fue Dios servido de llevarlo de esta vida. El resto de la noche estuvo su cuerpo alumbrado con cuatro velas. Venido el día, el padre con la gente de la nao rogaron a Dios por su alma y con un sentimiento grande fue sepultado en el mar a vista de las tres islas Marías».

El oidor Alonso de Zorita continúa informándonos en su *Relación de la Nueva España,* ahora de asuntos zoológicos: Los «tigres y leones» (o sea jaguares y pumas) se aficionaron a la carne humana con cadáveres de indios, aquellos «que morían por los caminos; han comido y muerto mucha gente después que se comenzaron a encarnizar». Fue tanto el daño que hicieron que se despoblaron muchas comarcas y otras hacían cercos para guarecerse, «y también mataron algunos españoles, aunque pocos»; en otros pueblos, de noche la gente se subía a dormir en alto «y tenían sus casas fundadas sobre cuatro pilares de palo y encima hacían un suelo o desván. Dicen que esos animales son amigos [¡!] de indios y de negros y que donde los hallan, aunque haya entre ellos españoles, no llegan a éstos sino a los indios y a los negros, y de un bofetón derriban la cabeza a un hombre».

También hacían gran daño en el ganado: «Codician mucho a los potros pequeños y las cabras; tienen tan gran fuerza que habiendo muerto un caballo lo llevan arrastrando».

Juan Suárez de Peralta relata un suceso alusivo a un frustrado ascenso al Popocatépetl, intentado por su tío Antonio Soltedo de Betanzos «que dio en subir a verle él y unos frailes, y se previnieron de ropa y todo lo necesario contra el frío y los demonios». Llevaban muchas reliquias, agua bendita, cruces, misales para las oraciones y gente con bastimentos. Empezaron a subir y «entrando por la ceniza era tanta que les fue forzoso dejar los caballos e ir a pie, y como iban avanzando, más se les iban quedando indios muertos de frío, y los españoles proseguían su camino con determinación de no dejar de ver la boca de aquella sierra mediante Nuestro Señor, a quien se encomendaban muy de veras; iban confesados y comulgados».

Caminaron durante dos días, «con grandísimo trabajo porque

no podían andar, se atoraban en la ceniza; queriendo pasar adelante, no fue posible porque se les hundían los pies hasta la pantorrilla y con mucha pena la sacaban y el frío era de tal manera que no eran señores de sus manos ni de sí. Acordaron de volverse, habiendo muerto más de quince personas de frío».

Un caso inusitado es el que relata Torquemada acerca del fraile ingeniero Francisco de Tembleque, víctima de un fenómeno natural, aunque el sentido religioso del historiador le da un enfoque optimista y trascendente al accidente. Fray Francisco —constructor del acueducto de Zempoala— se asomó por la ventana del coro de la iglesia durante una tormenta eléctrica y recibió un fogonazo que lo dejó tuerto: «Vio un grandísimo bulto, muy negro, a manera de culebra, y salió de él repentinamente una luz, como rayo, y dándole en los ojos al siervo de Dios lo derribó en el suelo, casi como muerto; y volviendo en sí, le pareció que un ojo se le había saltado del casco y que estaba colgado, pendiente de su parte y lugar propio; volvióselo otra vez a su lugar, pero nunca más vio con él».

Años después, ya en su vejez, «lo visitó Nuestro Señor con los regalos que suele enviar a sus muy particulares escogidos, privándolo de la vida corporal del otro ojo que le quedaba, con que fue bien ejercitado y purificado, mediante la virtud de la paciencia». Por si fuera poca su suerte, recluido en el convento de San Francisco, ciego y anciano, fue atacado a puñaladas por otro fraile, de seguro enajenado, que le abrió la garganta.

Una rara noticia proporcionada por Torquemada es que en 1573, en el pueblo de San Lorenzo, jurisdicción de Tulancingo, «parió una india un monstruo ferocísimo, cuya figura anduvo impresa, y fue llevada a España, y causaba a todos los que la veían grande espanto y temor».

ENFERMEDADES

En el libro de Julián Garcés está incluida una carta de su colega fray Domingo de Betanzos, donde le informa de la peste padecida en 1545, con «tan gran mortandad de indios, que no se puede creer. En Tlaxcala mueren ahora mil indios cada día y en Cholula día hubo de novecientos cuerpos. En Huejotzingo es lo mismo, que ya casi está asolada. Es cosa increíble la gente que es muerta y la que muere cada día. En este nuestro pueblo de Tepetlaóztoc, donde ahora estoy, ya pasan harto de catorce mil los que son muertos».

Alonso de Zorita relata que en la ciudad de México había numerosos hospitales, entre ellos uno «de las bubas [tumores sifilíticos], otro para los enfermos del mal de San Lázaro [lepra] y otro para los locos». En gran cantidad de poblaciones indias, a fines de 1575, se padeció «una muy gran pestilencia que duró muchos días, en que había pueblos donde cada día enterraban doscientos muertos, y en otros más, según el grandor del pueblo, y dicen que murieron un millón y más» personas.

Torquemada escribe, sobre la misma epidemia, que sobrevino a los indígenas una «mortandad y pestilencia» que duró más de un año y fue tan grande que «casi quedaron despobladas las Indias». Había casas donde unos estaban muertos y otros a punto de morir, y «ninguno con salud, ni fuerzas, para poder acudir a dar remedio a unos, ni sepultar a los otros». En las ciudades y pueblos grandes abrían enormes zanjas como fosa común y sepultaban los cadáveres «no con la solemnidad que suelen enterrarse los difuntos, porque ni el tiempo lo permitía, ni los muchos cuerpos».

Se estimaron los muertos en más de dos millones de personas, sobre todo indígenas, cifra mucho mayor que las ochocientas mil que fallecieron en la epidemia de 1545. La epidemia «tan sangrienta fue de flujo de sangre, por las narices».

El piloto Pedro Fernández de Quirós, de regreso de Asia, navegó siguiendo el trayecto de Barra de Navidad hacia las costas del actual estado de Guerrero. En Acapulco reporta la llegada de otro navío procedente de Oriente en el cual murieron en alta mar setenta y nueve personas, y otras once en el puerto, «de una gran enfermedad que da en aquella carrera». La escasez de alimentos durante la travesía fue tan apremiante que «cuando venían navegando se compraba una gallina por dos mil cuatrocientos reales, y por otra daban tres mil doscientos y no la quisieron vender».

MÉXICO VIRREINAL.
SIGLO XVII

REBELIONES Y MOTINES, CORRUPCIÓN Y JUSTICIA

El fraile historiador Torquemada reporta que en 1612 se ahorcó por rebelión a treinta y seis negros —veintinueve varones y siete mujeres—, todos juntos en una horca que se hizo para ese efecto en medio de la plaza mayor de la ciudad de México, «y los descuartizaron y pusieron sus cuartos por los caminos, y sus cabezas quedaron clavadas en la horca; pero como eran tantas, comenzaron a causar mal olor, y temiendo alguna corrupción del aire, y que de ella resultara alguna pestilencia, se mandaron quitar de aquel lugar».

El español Bartolomé de Góngora (1578-1657?), descendiente de un compañero de armas de Cortés, vino a *hacer la América* en 1608. Ya de avanzada edad fue nombrado corregidor de Atitalaquia, en el actual estado de Hidalgo, y en una de sus diversas obras históricas aumenta la cifra de la rebelión de negros de 1612: «Pusieron cuarenta al sol, a los cuales vi colgados como pimientos, porque el presidente dijo: 'Matar luego'. En un día fueron dieciocho y los demás fueron cayendo».

El fraile franciscano Agustín de Vetancurt (1620?-1700), en una crónica capitalina incluida en su *Teatro mexicano,* abunda en la conjura de negros que estallaría en rebelión el Jueves Santo, aunque primero hubo una falsa alarma: «Aquella noche venía una manada de cochinos por la calzada y, al ruido, con el miedo corrió la voz de que entraban los negros y la ciudad se alborotó, hasta que vieron que eran puercos».

Juan de Ortega y Montañés (1627-1708), fiscal del Santo Oficio de la Inquisición, obispo de Durango, arzobispo, dos veces virrey de la Nueva España —especie de comodín, operador político de emergencia—, en materia de seguridad pública tomó una justa medida que quizá fuera acertada su aplicación hoy en día. Fue motivada por la gran cantidad de «ociosos y vagabundos» que había en esta ciudad y en otras, y por los robos que en ella y en las demás se hacían, amén de «lo infestados que se hallaban los caminos de salteadores» por la omisión de las autoridades en la vigilancia y cumplimiento de sus obligaciones. Dispuso el virrey que «las justicias ordinarias pagarían los robos que se hiciesen en las ciudades, villas y lugares, y los alcaldes mayores y alcaldes provinciales los robos que los salteadores hiciesen en el distrito y jurisdicción de cada uno».

El italiano Juan Francisco Gemelli, doctorado en derecho, vino a México en 1697 y publicó *Las cosas más considerables vistas en la Nueva España.* Presenció la ejecución de cinco ladrones que fueron ahorcados; según la costumbre, llevaba cada uno un hábito blanco de lana, y puesto en la cabeza un birrete marcado con la cruz de la cofradía de la Misericordia. «Se usa allí tirar de los pies a los condenados a la horca con una cadena de hierro que llevan consigo cuando van camino al patíbulo. Murieron los cinco en una hora.»

A otro ladrón «le dieron doscientos azotes en la espalda y después fue sellado con un hierro ardiendo». Repugna esta costumbre medieval: «Fueron azotadas tres mujeres por bribonas, y después se les untó bastante miel sobre las espaldas y se les cubrieron éstas con plumas, para ignominia».

El español Francisco de Seijas (1650-¿), pariente del arzobispo de México, marino e incluso corsario, dueño de barcos y comerciante (quizá hasta contrabandista), científico, alcalde mayor de Tacuba, fue enemigo del virrey y éste lo encarceló seis veces; escribió *Gobierno del reino imperial de la Nueva España,* donde critica y propone cambios en la forma de gobernar, por la corrupción imperante.

Uno de los más importantes motines populares en los tres siglos del virreinato tuvo lugar, por hambruna, en 1692, año en que llegó Seijas a México. Fue incendiado el palacio (hoy nacional), el ayuntamiento y muchos comercios del Zócalo; el virrey, «debiendo atender su obligación, abandonó todo y se refugió con su mujer y familia en el convento de San Francisco; puso en el colegio de la Compañía de Jesús sus mejores alhajas y tesoros». Seijas lo acusa de haber promovido «el tumulto» para coronarse rey de la Nueva España, pues «son muchos los indicios que contra él resultan y aun pasan a visos de evidencia». Cuando menos hubo trescientos veinte muertos y algunos fueron enterrados en fosas comunes o echados a la laguna «a medio morir».

La corrupción de los virreyes a veces se iniciaba desde la obtención misma del cargo, «dándose los virreinatos a quien más dinero da, comprando este puesto por trescientos mil pesos y a veces por más». La recuperación de lo *invertido* empezaba a planearse aun antes de viajar a México: tomaban en España «las providencias con los mercaderes» para poner aquí almacenes de importación, donde «se venden de ordinario los mayores contrabandos»; incluso hubo virrey que al efecto tenía sus propios barcos. Los cohechos que recibían con frecuencia estaban disfrazados de obsequios (como hoy en día) e incluían comestibles a tal grado que «suelen tener los criados tiendas particulares en que venden muchos de los regalos». Sólo en la Navidad de 1693 «ganó la virreina 78 500 pesos».

Además, los virreyes y otras autoridades solían vender los cargos públicos y asimismo los ceses de enemigos: «Con dar una suma de dinero al virrey, no ha menester más para que lo depongan y saquen. Para mantenerse en un puesto, es forzoso que en las Pascuas envíe cada uno su regalo y que lo reiteren todos los días de las fiestas de su santo y los de sus mujeres».

Como se ve, los tiempos no han cambiado: «No queriendo un virrey, un presidente o un oidor que una demanda o pleito civil o criminal se vea, no lo conseguirá ningún litigante si no es que compre la justicia a fuerza de plata y de oro y de regalos».

Todo esto se reflejaba también en un lujo y ostentación desmedidos por parte de los virreyes: «No hay rey en toda Europa que salga de su palacio real con más lucido acompañamiento».

Una de las más ominosas formas de corrupción era la colusión entre jueces y dueños de talleres («obrajes»), a donde enviaban reos sentenciados a trabajos forzados con un salario de hambre: «Se ha introducido contra Dios y contra la justicia una crueldad muy tirana contra los indios y contra los demás pobres, a quienes condenan sin razón y con leves causas, con que los reducen a mayor miseria que la esclavitud de galeras. Los sentencian a montón, trabajando de día y de noche, que penosa y cruel vida padecen. Conocí a un juez tan poco temeroso de Dios, que hizo a dos indios causa de sodomía y a otros dos mulatos, y que para ello no tuvo más motivo que el de ganar dinero».

Aunque existía la prohibición de que se casaran aquí oidores y gobernadores para evitar los «sobornos de los parientes de sus mujeres y por otras muchas cosas indecentes que en las Indias se experimentan y no se dicen por no agraviar al sexo femenil», lo cierto es que esa regla no se cumplía por haber muchas «dispensas y licencias» a la misma. Seijas recomendaba remover cada cinco años a los funcionarios, para evitar que «emparienten ni compadreen».

Se manifiesta en contra de que «negros, mulatos, zambos, cuarterones, alcatraces y *tentes en el aire*» —castas de origen negro— ejercieran puestos públicos o militares, «siendo por naturaleza infames e indignos, hijos y nietos de esclavos, gente sospechosa, de la chusma, por lo cual es gravísimo error mantener semejante género de canalla con dichos ejercicios».

El sabio mexicano Carlos de Sigüenza y Góngora (1645-1700), hijo de españoles, jesuita, historiador, matemático y geógrafo, poeta, protegido del virrey conde de Galve, lo adula y lo exonera del motín popular de 1692. No oculta su desagrado ante los indios, «gente la más ingrata, quejumbrosa e inquieta que Dios creó». Según él, el motín se gestó en las pulquerías, a donde «acudían no sólo indios, sino lo más despreciable de nuestra infame plebe; se determinaba espantar a los españoles, quemar el palacio real y matar, si pudiesen, al virrey y al corregidor».

A manera de prueba, relata el hallazgo, en una acequia, de «muchísimos muñecos o figurillas de barro, de españoles todas, y todas atravesadas con cuchillos y lanzas que formaron del mismo barro, o con señales de sangre en los cuellos, como degollados; prueba real de lo que en extremo nos aborrecen los indios y muestra de lo que desean con ansia a los españoles, depravado ánimo con que se hallaban para acabar con todos».

El motín se inició a resultas de que el insuficiente maíz en la alhóndiga provocó jaloneos y empujones de las indias que acudían a comprarlo en contra de los empleados, quienes las golpearon, provocándole un aborto a una muchacha (fingido, según Sigüenza). Al día siguiente, una anciana murió en el tumulto, queriendo comprar maíz (asimismo fingió, dice nuestro escéptico erudito). Se inició un ataque a pedradas al palacio del virrey, quien estaba ausente, y el arzobispo trató de apaciguar los ánimos, pero ante la lluvia de piedras «se volvió Su Señoría y cuantos le acompañamos, a paso largo». Los pocos soldados que había estaban «apedreados de pies a cabeza y lastimados y dos o tres estaban muy malheridos». Se prendió fuego al palacio del virrey y al ayuntamiento, se quemó su carro y se mataron sus mulas. Se escuchaban *mueras* y «tales desvergüenzas, tales apodos, tales maldiciones contra aquellos príncipes, cuales jamás me parece pronunciaron racionales hombres».

Los comercios del Zócalo fueron saqueados por «cuantos mulatos, negros, chinos, mestizos, lobos y vilísimos españoles, así gachupines como criollos, allí se hallaban». Los incendios duraron varios días y acabaron con buena parte del palacio y casi todo el ayuntamiento, además de muchos negocios particulares. Los muertos fueron más de cincuenta sólo en el Zócalo, sin contar a los que «se abrasaron vivos» ni a los «muchísimos» que al huir con la mercancía robada fueron a su vez atacados para asaltarlos. Hay que agregar a los detenidos que fueron «arcabuceados» o ahorcados y hasta quemados.

Francisco Sedano resume los autos de fe celebrados durante el siglo XVII. En 1635 se ejecutaron diecinueve reos en la plaza capitalina de Santo Domingo, en 1646 fueron cuarenta y siete los juzgados allí y el mismo año, otros veintiuno en Catedral. En 1648 la cifra llegó a veintiocho víctimas del Santo Tribunal de la Inquisición. Al año siguiente fueron ciento ocho «herejes, relapsos, blasfemos, protervos y pertinaces», entre hombres y mujeres; algunos fueron quemados vivos en la plaza de San Diego, otros «en estatua» por estar ausentes y otros más, por haberse arrepentido, obtuvieron la «gracia» de ser muertos primero —a garrote— y luego quemados. El auto de 1659 fue presidido por el virrey y se aplicó a treinta y dos reos.

SUCESOS BÉLICOS

En el siglo XVII, la Nueva España propiamente dicha estaba ya conquistada. Las acciones de guerra se localizaban hacia el septentrión, debido a los avances del ejército español —y en paralelo de los misioneros evangelizadores—, sobre todo para colonizar Sonora y la Baja California. Ahora veremos algunos ejemplos de aquella conquista del noroeste mexicano.

El jesuita italiano Francisco María Pícolo (1654-1729) fue misionero durante casi medio siglo en la sierra Tarahumara, en Sonora y en Baja California. En su *Relación sucinta de la nueva conversión* queda claro que la religión del imperio español tuvo que imponerse por la fuerza en tierras americanas. Pícolo relata un ataque sufrido por el poblado sonorense donde vivía a manos de los indios, en el cual su principal aliada fue la Virgen: «Acometieron bien armados y muchos en número a nuestro pequeño real de unos pocos españoles (que en el amparo de María Santísima tenían un ejército bien ordenado), dando los bárbaros tal avance con tanta furia y tan espesa lluvia de flechas y de piedras, que a no tener en la Señora un ejército que las resistía, hubieran perecido aquellos pocos soldados, y con ellos nosotros, pero al calor del soberano influjo fue tan grande el esfuerzo de los soldados, que fue rechazada aquella multitud de bárbaros, huyendo bien temerosos».

No obstante, con mucha sensatez —y una deliciosa cursilería— el jesuita disculpa a los indígenas: «Juzgaban que nosotros (que aportábamos a sus playas en busca sólo de las perlas preciosas de sus almas para criarlas con el celestial rocío de la divina palabra, y darles en Cristo su oriente, poniéndoles a su vista a la celestial Concha María que concibió para su bien), íbamos como otros, que en otros tiempos, y no sin algún daño de los suyos, habían entrado en sus playas en busca de las muchas y ricas perlas que se crían en los innumerables placeres».

El jesuita italiano Eusebio Francisco Kino (1645-1711) fue un verdadero conquistador espiritual y también material, en el mejor sentido de la palabra: creó boyantes misiones que no sólo eran autosuficientes en su producción agrícola y ganadera, sino que permitían apoyar con bastimentos e incluso financiar el incesante avance de los jesuitas en Sonora y Baja California. Este misionero fue un hombre de su tiempo que no descartó la violencia y la muerte como medios de acción; así, informa en su *Crónica de la Pimería Alta. Favores celestiales,* que se hicieron las paces con algunos grupos de indios, «sin tener más guerras que las que fuesen necesarias contra los enemigos de la fe, que en tal caso, aunque uno muriera en la demanda, se salva, y aun la tal sangre puede servir de bautismo al que no estuviere bautizado con el agua».

En cierta ocasión, unos indígenas pimas ya cristianos habían matado a quince enemigos jocomes; Kino y sus acompañantes los encontraron «muy joviales y amigables, bailando con las cabelleras y los despojos mortales, cosa que nos fue de tanto consuelo que el señor capitán Cristóbal Martín Bernal, y el señor alférez, y el señor sargento y otros muchos entraron en la rueda y bailaron gustosos en compañía de los naturales».

Y a propósito de la horripilante costumbre de arrancar el cuero cabelludo al enemigo vencido (no siempre muerto), Kino recibió como regalo la cabellera de un brujo o sacerdote de la etnia hoabonoma, «el único que se oponía a las buenas enseñanzas cristianas, malévolo y cizañista», que había sido muerto por un indio quiquima.

Resalta una referencia a la invasión de jocomes a Quiburi. Tapándose con muchas pieles de animales a manera de escudos, los feroces enemigos quemaron una fortificación y atacaron a balazos, «pues traían un arcabuz de los que en otras ocasiones habían quitado a los soldados»; saquearon e incendiaron la ranchería y mataron ganado, «dándose por muy victoriosos los hombres y las mujeres, pues todos habían peleado por igual».

Una batalla entre indígenas se inició con un desplante francamente caballeresco. Un ejército de apaches, jocomes y janos se enfrentó a otro de pimas y los capitanes de las dos fuerzas contendientes convinieron en seleccionar cada uno a diez guerreros para que lucharan al principio ellos solos; el duelo comenzó a flechazos, apreciándose la destreza de cada bando para tirar con el arco y para «capear» las flechas de los adversarios; el capitán Copotcari, «que era muy hábil, se le fue arrimando a su adversario y luchando lo derribó en el suelo y con piedras le machucó la cabeza». Entonces se desató la batalla y la mortandad fue grande: más de quinientos muertos y heridos, «y los demás, como fueron heridos con la hierba [de flechas envenenadas], se fueron muriendo por los caminos».

El capitán español Juan Mateo Mange (1670-1727?) escoltó varias veces al padre Kino en sus maratónicas cabalgatas hasta los ríos Gila y Colorado, entre 1693 y 1701. La violencia española a veces era una reacción a la barbarie indígena, sobre todo la de los apaches, pero ningún bando se quedaba atrás. En su *Diario de las exploraciones en Sonora. Luz de tierra incógnita,* leemos cómo fue notable una danza macabra en la que participaron soldados hispanos alrededor de las cabelleras arrancadas de un solo tirón al enemigo, en ocasiones aún vivo; un capitán pima les hizo a Mange y su tropa un espléndido recibimiento, hospedándolos «con regalos a su estilo en una casa de adobe y terrado; festejó todo el día nuestra llegada con un exquisito baile en forma circular, en cuyo centro había una alta asta donde pendían trece cabelleras, arcos, flechas y otros despojos de otros tantos enemigos apaches que habían muerto, y los mismos soldados entraron en el baile, gozosos».

A propósito de flechas envenenadas, usadas en aquella época por diversos grupos de esa región, varias alusiones tiene este militar sobre el tema. En un encuentro ocurrido entre soldados españoles y sus aliados pimas contra los apaches, cayeron muertos veinticuatro de éstos. Otros ochenta y seis huyeron heridos, en parte «a lanzadas de los soldados, y en parte con la hierba ponzoñosa de los fidelísimos pimas», cuya muerte se averiguó a los quince días por una india que se apresó y contó que «con la fuerza y eficacia del veneno, habían muerto todos los que fueron heridos». En otra ocasión fueron sesenta los enemigos apaches que murieron en el campo de batalla y ciento sesenta y ocho los que más tarde perecieron, «heridos del mortífero y eficaz veneno de las flechas de los pimas; habían muerto rabiando».

TORTURAS Y OTRAS BRUTALIDADES DE BLANCOS Y MESTIZOS

En una investigación ordenada por el rey para averiguar los excesos criminales de los encomenderos de Chiapas, el enviado real fray Antonio de Remesal tuvo problemas para obtener datos, pruebas y testigos, hasta que el valor civil de un individuo lo sacó de su apuro al denunciar a un español: le mostró el «tajón donde degollaba a los indios para dárselos a los perros, si les quería hacer la merced de no echárselos vivos»; también la estaca llena de sangre «donde los mataba a azotes»; y en lo alto vio una viga donde los colgaba con las manos amarradas por la espalda, atándoles una piedra a los pies, «que pareció de peso de un quintal, y después que los tenía así mucho rato azotándolos, los ponía al fuego y los quemaba vivos»; en el suelo había señales del asiento de la hoguera. Quedó admirado el enviado de que era tanto el miedo que los indios tenían al encomendero, que no osaban descubrirlo a pesar de ser tan atroces aquellos delitos.

Otras quejas había de «injurias y agravios que los españoles les hacían, ya en quitarles a sus mujeres e hijas, ya en robarles sus haciendas, o ya haciéndolos esclavos, privándolos injustamente del mayor bien que tenían fuera de la vida, que es la libertad».

El jesuita español Andrés Pérez de Rivas (1575-1655), misionero, acucioso historiador, agudo etnógrafo, escribió *Páginas para la historia de Sonora. Triunfos de nuestra santa fe.* Aunque la mayoría de los indígenas de esa región eran realmente bárbaros seminómadas, por su parte los españoles tampoco se quedaban atrás. En una sola ocasión ahorcaron a cuarenta y dos «gandules, y porque el castigo no le parezca al lector demasiado riguroso o cruel, como algunos por entonces lo calificaron, no conociendo la causa de ahorcar tanto número de indios bárbaros, acuérdense de las insolencias de los zuaques», que en seguida procede a argumentar el misionero (y que leeremos en el apartado siguiente).

El pirata flamenco Exquemelin nos entera de que el corsario Bartolomé El Portugués, hacia 1663, fue apresado cuando intentó atacar las costas de Campeche y quedó recluido temporalmente en un barco; logró hacerse de un cuchillo y arremetió contra su custodio; «le dio tan violenta puñalada, que lo dejó en estado de no poder hacer más ruido». Al instante se echó al mar, con dos vasijas a manera de flotadores, y nadó con ellas hasta la playa para refugiarse en el bosque, donde estuvo oculto tres días comiendo yerbas silvestres. Tiempo después, encontramos al Portugués en una isla del Caribe, «bien acomodado, rico, señor, habiendo sido esclavo, pobre, criminal y sentenciado a la horca».

En 1665 ocurrió otro suceso que involucra al pirata Roche o Roc Brasiliano (brasileño). Asaltó y logró tomar un excelente navío que zarpó de la Nueva España y en él halló gran cantidad de plata, llevándose el barco y su cargamento a Jamaica. Por esa acción se hizo temer por los españoles y estimar por sus compinches; además ganó fama de salvaje: «No tenía recta dirección en sus acciones, pues todo cuanto hacía lo ejecutaba brutalmente, como un necio. Muchas veces corría por las calles estando borracho e hiriendo con armas a cuantos encontraba, sin que nadie osase oponerse, ni en defensiva, ni en ofensiva».

Fue sumamente cruel en sus encuentros con españoles, «a algunos de los cuales hizo asar en asadores de palo, y esto, no por más delito que porque no querían mostrarle los lugares o corrales donde podía hurtar ganado».

En una ocasión, naufragó su navío por una gran tormenta en las costas de Campeche, salvándose él con sus marineros sin poder rescatar nada de lo que tenían, fuera de unas pocas balas y pólvora con sus mosquetes. No eran los piratas más que unas treinta personas y se encontraron a una partida militar de españoles, «pero viendo a su esforzado capitán oponerse con valor, acometieron a la tropa, disparando cada uno su mosquete con tal destreza que cada tiro derribó a un hombre». Duró la refriega una hora y el resto de soldados huyeron; esta confianza dio la ventaja a los piratas, que despojaron y tomaron cuanto pudieron de los que habían quedado muertos. «A los que del todo no lo estaban, les acabaron de dispensar y quitar las congojas de la muerte.»

Los puertos mexicanos que más sufrieron los ataques de los filibusteros fueron, en primer lugar, Campeche, y después, aunque mucho menos, Veracruz (por ello ambas ciudades estuvieron amuralladas). Baste una somera relación de fechas y nombres que atañen al puerto jarocho, cuya historia pirática guarda también efemérides relevantes:

En 1568, John Hawkins tuvo que pedir refugio en esa ciudad para arreglar su barco dañado y el famoso corsario estaba acompañado por un joven que más tarde lo rebasaría en prestigio: ni más ni menos que Francis Drake; llegó una flota militar, lo reconocieron y tuvieron que huir los ingleses. Grillo, el pirata cubano, atacó el puerto en 1602. Hacia 1633 lo merodeaba Pata de Palo. En 1683 hacen lo suyo en Veracruz De Graff y Grammont, resultando más de quinientos muertos y un gran botín. Por esas mismas fechas, la guarnición veracruzana derrotó al filibustero holandés Van Horne, que llevaba con él a mil quinientos piratas.

Las correrías del pirata británico William Dampier por el Caribe y el golfo de México lo llevaron dos veces a Campeche, en 1675 y 1676. A los veintidós años de edad ya era filibustero en nuestros mares. Uno de los temas recurrentes de este corsario es la explotación y comercio del palo de tinte o de Campeche. Variada información proporciona acerca de los campamentos que había en la región de la laguna de Términos para el aprovechamiento de ese recurso forestal, algunos ilegales establecidos por extranjeros como él, al margen de las autoridades virreinales novohispanas. Tuvo su auge este tráfico después de firmada la paz entre España e Inglaterra, pues decayó el negocio de la piratería. En todo caso, los antiguos piratas «pensaron que era un trabajo pesado aquél de afanarse en cortar madera, así que a menudo hacían excursiones en pequeñas partidas a los pueblos indios más cercanos, donde saqueban y traían a las mujeres indias a servirlos en sus cabañas y enviaban a sus esposos a ser vendidos en Jamaica».

TORTURAS Y OTRAS BRUTALIDADES DE INDIOS

Ya para el siglo XVII los indios del centro del país estaban completamente dominados por los españoles —peninsulares y criollos— y empezaban a cobrar forma como grupo social los crecientes mestizos. En cambio, en el noroeste de México apenas se avanzaba en la conquista militar y religiosa de los pueblos que lo habitaban, quienes acostumbraban prácticas insólitas en materia guerrera, como veremos en este apartado.

Las descripciones y referencias de fray Andrés Pérez de Rivas a la costumbre indígena de conservar las cabelleras del enemigo como trofeo y asimismo otras partes del cuerpo, constituyen todo un tema aparte. Tal fue el caso de un baile en Sonora en el que participaban hombres y mujeres, celebrado alrededor de un poste en medio de la plaza; sobre él estaba colocada la cabeza o cabellera del enemigo muerto u otro miembro suyo, como un pie o un brazo, «acompañado de una algazara bárbara y baldones y cantares que referían la victoria, de suerte que todo estaba manifestando un infierno, con cáfilas de demonios, que son los que gobernaban a estas gentes. Se encendían mil candelas y con gritos y alaridos celebraban el triunfo, y retumbaban los desentonados cantos toda la noche por aquellos montes. Y en estas fiestas eran también muy célebres los brindis del tabaco, muy usado de todos estos bárbaros».

Así como Hernán Cortés buscó alianza con cempoaltecas, tlaxcaltecas y otros treinta y tantos pueblos súbditos de los aztecas para dominar a éstos, así también en el noroeste (e igual sucede en todo tiempo y en todas partes), los españoles se iban aliando con los indios que podían, para someter a otros más indómitos. Al respecto, este misionero describe cómo un grupo de indios aliados a los españoles vencieron a otros indígenas y volvieron al pueblo trayendo cabezas de enemigos colgadas de cuerdas: «Confieso que me causaba horror el ver cómo las traían. Porque venían desolladas de su cuero y cabelleras (que ya tenían guardadas para sus bailes), colgadas por la ternilla de la nariz con unas cuerdas de raíces de monte; lástima causaba verlas, pero son fueros de la guerra». La caridad cristiana del jesuita no le impedía, finalmente, ver con frialdad la muerte del enemigo.

Un militar español a cargo del avance colonial hizo leva de indios amigos, juntando dos mil para la guerra. Éstos pusieron como condición que les dejaran tomar las cabelleras de los enemigos que mataran, «para bailar con ellas, que con eso se contentaban por paga de su trabajo». El capitán aceptó, pero les hizo una oferta «bien propia de su piadoso pecho cristiano»: que por cada prisionero que atraparan, en particular de mujeres o niños, si no le quitaban la vida, les daría un caballo. «Ellos aceptaron, aunque tal vez no lo cumplieron».

Años después, escudriñando las casas donde sospechaban que quedaban rastros de esas reliquias macabras, «juntaron gran cantidad de cabelleras con otras prendas de supersticiones, y haciendo una hoguera en medio de la plaza, todos aquellos instrumentos diabólicos se quemaron, y el demonio con ellos».

En otra ocasión, se ahorcó al indio que atacó con una flecha al padre Diego Bandersipe, «y habían quedado tan irritados los nebomes fieles cristianos contra él, que después de ahorcado, no se les pudo impedir que le tirasen dos mil flechas, por la que él había tirado al padre, porque lo miraban como patricida».

Y, al respecto, debemos conocer los espeluznantes asesinatos de jesuitas, a manos de indios, que describe nuestro cronista, como el perpetrado contra el padre Gonzalo de Tapia. El indio Nacabeba entró a su casa, le besó la mano y comenzó a entablar plática con él;

luego llegaron otros dos cómplices; con una macana le dio en la cabeza un fuerte golpe y «se la rompió por una sien, pero no de suerte que luego cayese»; viéndose herido, se levantó y salió hacia la iglesia, arrodillándose delante de una cruz, «como quien desea morir como su señor crucificado». Lo atacaron de nuevo a golpes de hacha y palos, «y allí le acabaron de quitar la vida, y no contenta la crueldad y rabia de estas fieras con verlo muerto, le cortaron la cabeza y el brazo izquierdo y, desnudándole de sus pobres vestiduras, dejaron el cuerpo, y relamiéndose en la sangre del cordero inocente que habían despedazado tales lobos, se llevaron la cabeza y brazo para celebrar con él sus bárbaros triunfos».

El brazo lo cocieron en barbacoa («invención que usan para asar la carne del animal que matan») a fin de comérselo, «pero no permitió Nuestro Señor que aquella carne de su santo siervo se convirtiese en la de aquellos endemoniados», ya que tres veces intentaron cocerlo y la extremidad «salía tan fresca como la habían puesto». Y ya que no pudieron cocinarlo para «hartar su hambre», desollaron el brazo y mano, rellenándolos de paja en una taxidermia rudimentaria. Vestidos los criminales con los ornamentos sacerdotales, empuñaban el brazo y bebían vino «en el casco de la santa cabeza; celebraban con gran fiesta los matadores y sus aliados el triunfo que les parecía que habían alcanzado».

Otro fúnebre hecho similar en Sonora culminó con el asesinato de los padres Manuel Martínez y Julio Pascual, en este caso con flechas de una turba. Este último, herido en el estómago, dijo: «No muramos como tristes y cobardes, y muriendo por Cristo, salió fuera de la casa; al salir le tiraron otro flechazo tan furioso que con la saeta le dejaron cosido el brazo con el cuerpo; llenos de devoción y con los rosarios en las manos (uno de ellos tengo en mi poder, todo bañado de sangre), puestos de rodillas y pidiendo a Nuestro Señor su favor y gracia, comenzaron a recibir millares de flechas enarboladas con veneno, que llovían sobre sus cuerpos, con que quedaron hechos unos San Sebastián y en breve cayeron en tierra».

Todavía después golpearon los cadáveres hasta desfigurar los rostros y romper las cabezas.

Muy interesantes son también las referencias de Pérez de Rivas al canibalismo entre los indios, «vicio introducido por el demonio, enemigo capital del género humano». En ciertos grupos indígenas era tan común como comer carne de caza; de la misma manera «que salían a cazar algún venado, así salían a buscar a alguno de sus enemigos al monte o sementera para, hecho pedazos, cocido o asado comérselo». Otros pueblos sólo lo hacían «con algún enemigo valiente o señalado en la guerra, pues comiendo de sus carnes les parecía que crecerían ellos en valentía».

Y a propósito de esa clase de valentía —física y animal—, cabe resaltar la costumbre, casi graciosa, de los yaquis, guerreros redomados. Los hombres de otros pueblos indios, aun cuando ya estuvieran bautizados con nombres cristianos, seguían usando como sobrenombre su antiguo apelativo, «porque de otra manera no se podían reconocer tantos Pedros, Juanes, etcétera». Pero el caso de los yaquis se presentaba muy problemático, pues sus nombres eran casi siempre «derivados y significativos de las muertes que hubiesen ejecutado; como el que mató a cuatro o a cinco o a diez, el que mató en el monte o en el camino de la sementera». De manera que cuando el padre quiso hacer «esta diligencia con los yaquis para quitarles con el santo bautismo estas memorias bárbaras», no se logró poner remedio «por tener todos nombres de muertes, sin hallar otros en su lengua con que suplirlos».

El carmelita español fray Isidro de la Asunción (1624-1701), visitador de su orden en la Nueva España, en su *Itinerario de Indias* se refiere a los ataques que perpetraban los indígenas en contra de los ganaderos de la Nueva Vizcaya, haciéndoles un gran daño «matándoles ganado y esclavos, y no se llevan sino los caballos, que apetecen para su comida». Asolaban los caminos desde Sombrerete hacia Parral y Nuevo México, asimismo dedicados «a matar a los pasajeros, y si traen plata y oro se los dejan, porque su intento sólo es matar españoles y después comerlos»; para protegerse mutuamente, los viajeros se juntaban en grandes grupos para realizar sus recorridos y de noche pernoctaban siempre con centinelas «y las armas de fuego a punto, que son las que temen los tales indios».

El jesuita italiano Francisco Javier Saeta (1664-1695), misionero en Sonora, perdió la vida un Viernes Santo. Los indios hojomes atacaron la misión de San Pedro de Tubutama y mataron a varios nativos ópatas. Al día siguiente, como continuación de esa rebelión, un grupo de indios pimas agredió la misión de Caborca y a sangre fría asesinaron con arcos y flechas al padre Saeta y a cuatro ópatas que lo asistían. No pasemos desapercibido que el trágico final de Saeta fue precisamente como víctima de las saetas.

El capitán Pascual de Picondo escribía: «Yo considero el fallecimiento del venerable padre Saeta como una de las mayores glorias que se pueden desear, porque muchos han deseado morir por Jesucristo y en semejante misterio y no han conseguido de Nuestro Señor el que se bañase con sangre la estola».

Por su parte, el padre Antonio Méndez, rector de la misión de San Ignacio de Mayo y Yaqui, decía al padre Kino que aunque «el demonio estorbaba y embarazaba la gloria de Dios, es buena señal, mi padre, que todas esas conversiones empiezan con sangre de ministro para cultivarse»; y abundaba que así había sido en los martirios de Sinaloa, con la muerte del padre Tapia; en Chínipas, con la de los padres Julio Pascual y Manuel Martínez; en Tepehuanes, con la de siete «gloriosos padres»; en la Tarahumara, «con la sangre del padre Cornelio y con la del padre Jácome Basilio»; y en la misma sierra de Chihuahua, con el padre Foronda y el padre Manuel Sánchez. «Con lo que, mi padre, es buen consuelo que Dios quiso fuesen primicias de esa conversión los fervores del padre Saeta.»

Este fúnebre recuento es muy elocuente, a pesar del dudoso optimismo del padre Méndez. Además, muestra que la conquista espiritual en las misiones del norte y noroeste de México tuvo necesariamente que ir de la mano de la conquista militar.

Precisamente el capitán Mange ofrece detalles de la muerte de Saeta. Los criminales primero atacaron a otros dos misioneros; «al estrépito, gritos y alaridos, salió su reverencia a contenerlos, mas acabado de matar a éstos, dieron sobre él, quien puesto de rodillas le descargaron golpes y flechas; ya malamente herido el venerable padre se levantó y entró a su casa y lecho, y puesto de rodillas ante un Santo Cristo ofreció al Creador el alma que salió de aquel cándido cuerpo con veintidós saetas (que era su blasón); piadosamente creemos que fue a cantar el aleluya de la resurrección del Señor a la Gloria».

El cadáver del padre Saeta se hinchó y corrompió rápidamente porque las flechas estaban envenenadas. Por ello lo quemó un indio amigo y después Mange recuperó las cenizas y los huesos que quedaron.

DELITOS Y PECADOS DEL CLERO

La esclavitud estuvo permitida en ciertas épocas y por tanto, estrictamente hablando, practicarla no era delito, pero sí era pecado, dijera lo que dijera el derecho canónico. Disgusta saber lo que sucedía en los territorios del colegio jesuita de Tepotzotlán, de acuerdo con el italiano Juan Francisco Gemelli: «Esta hacienda comprende muchas leguas de pastos y labores. Hay en ellas más de cien negros casados que, viviendo en sus cabañas, se multiplican con grandísima utilidad para los padres, pues los venden en trescientos y cuatrocientos pesos cada uno».

Diversos aspectos incorpora Gemelli en su libro, que serían chuscos si no fueran vergonzosos. Tal es el caso de una bronca durante un desfile del Jueves Santo sucedida entre miembros de dos cofradías, de lo que resultó «que se dieron golpes con las mazas y cruces y muchos quedaron heridos».

El fraile dominico Thomas Gage (1597-1656), inglés de origen irlandés, estaba destinado a las Filipinas pero aquí desertó e hizo un largo viaje por la Nueva España y Centroamérica. Con la franca intención de ridiculizar al clero de nuestro país, es divertidamente mordaz. ¡Qué gresca nos relata!: «No diré gran cosa de los religiosos y religiosas de México, sino que gozan de mucha más libertad que la que tendrían en Europa, y que los escándalos que dan todos los días merecen que los castigue el cielo». Sucedió que los frailes de la Merced se reunieron *a capítulo* para elegir al provincial; habían acudido los comendadores y padres principales de toda la provincia, pero estaban divididos en facciones y sus opiniones no se podían conciliar. «Se cruzaron los pareceres, siguiéronse las disputas, de las razones pasaron a las injurias, y de las palabras a las manos: el convento se convirtió en oficina de querellas y la reunión canónica en motín. No se contentaron los reverendos padres con algunos pescozones y puñadas, sino que tiraron de los cuchillos y navajas cayendo muchos heridos en la refriega.» Finalmente, fue necesario que el virrey mediara en persona, asistiera al capítulo y pusiera guardias hasta que salió elegido el provincial.

Y sin solución de continuidad, Gage agrega: «Es costumbre que los religiosos visiten a las monjas de su orden y que pasen parte del día oyendo su música y comiendo sus dulces».

Como castigo por su fuga de la cuerda de misioneros asignados a Oriente, Gage fue simbólicamente apresado en Chiapas y en la reclusión piadosa se decía: «El castigo que sufríamos era paternal y los mismos que nos lo imponían no dejarían de mandarnos chocolate para dulcificar nuestra pesadumbre. Teníamos por compañero de penitencia a un fraile criollo, condenado a sentarse también en el suelo en castigo de ciertas cartas amorosas que se escribían él y una monja, y en las que había palabras que sobrepasaban los límites de la castidad».

Ya desde su llegada a Veracruz había notado y anotado Gage algunos relajamientos en el clero. El prior del convento de esa ciudad no era anciano ni severo, como solían serlo generalmente los hombres elegidos para gobernar una comunidad de religiosos jóvenes. Al contrario, «está en la flor de su edad y tenía todos los modales de un mozo alegre y divertido; pero su paternidad, según nos dijeron, había logrado el priorato por medio de un regalo de mil ducados que le había enviado al padre provincial».

Cuenta Gage que el prior sólo habló de sí mismo, de su nacimiento distinguido, de la buena relación que tenía con el padre provincial, de la simpatía que le manifestaban las principales señoras y las mujeres de los comerciantes más ricos, «de su hermosa voz y de su habilidad consumada en la música. En efecto, para que no dudásemos de estas últimas prendas, tomó la guitarra y cantó una letrilla que había compuesto él mismo a cierta linda Amarilis, acabando con este nuevo escándalo de horrorizar a nuestros buenos religiosos que se afligían de ver tanto libertinaje en su prelado, cuando hubiera debido dar ejemplo de penitencia y mortificación y servir como de espejo con sus costumbres y palabras».

Finalmente Gage volvió a Europa, se convirtió al protestantismo y contrajo matrimonio. Aun antes, aquí, bien se veía que no le disgustaba el sexo bello: «El vestido y atavío de las negras y mulatas es tan lascivo, y sus ademanes y donaire tan embelesadores, que hay muchos españoles, aun entre los de la primera clase, que por ellas dejan a sus mujeres».

Fray Antonio de Remesal relata una anécdota chiapaneca en la que el pobre diablo —Lucifer— muy bien pudiera estar haciendo el papel de chivo expiatorio; cuenta que Satanás «burló a una pobre india moza recién casada» que se quejó ante el padre prior de un «fraile mozo, que de noche iba a su casa y la inquietaba». Estaba muy preocupada de que si se lo decían a su marido, «habría gran mal; y por evitarlo rogaba al padre que corrigiese a su compañero y no lo dejase salir de noche. El anciano le preguntó que cuántas veces había ido allá. La india le repondió que muchas. Consolóla el padre, prometió remediarlo y envióla con Dios, quedándose como el hombre más confuso del mundo, porque aunque su compañero era mozo, era honestísimo y muy recatado». Desde luego, al demonio se atribuyó la culpa.

Fray Isidro de la Asunción destaca las modalidades que se utilizaban en la evangelización de los chichimecas, nombre que se aplicaba de manera genérica a las etnias del norte del país: «El cura que les administra los sacramentos y dice misa cada domingo cuenta si falta alguno, y al que falta a la misa, si no tuvo causa bastante, al domingo siguiente le azotan a la puerta de la iglesia, así hombres como mujeres, y así acuden todos».

Algunos grupos indígenas que ya se estaban asimilando a los poblados de españoles recibían el juicio de este religioso: «Son de naturaleza flemáticos y aplicados a cualquier trabajo, pero han de tener quien les mande porque si no, no quieren trabajar, y a veces para ello es preciso darles de palos».

El pirata Dampier escribe que los jóvenes mayas se casaban muy temprano por presión de los sacerdotes católicos: ellos a los catorce años y ellas a los doce, y el cura tenía autoridad para escoger a los cónyuges, si ellos mismos no lo habían hecho. Las razones de la imposición eran «que los preserva de la disipación y los hace industriosos, que los obliga a pagar impuestos tanto al rey como a la Iglesia, y que aquello evita que merodeen fuera de su parroquia y se establezcan en otra, lo cual disminuiría mucho la ganancia del padre».

Antropólogo pragmático que puso la muestra a muchos académicos, pionero del periodismo cultural en nuestro país, novelista e historiador, Fernando Benítez realizó una documentada investigación que plasmó en su libro *Los demonios en el convento. Sexo y religión en la Nueva España*. En él se aprecia esa bipolaridad que tenía el clero novohispano, oscilando desde los conventos de monjas cuyas excelencias en la cocina eran fuente de placeres para ellas mismas y para sus selectos invitados, hasta los conventos para hombres o para mujeres cuyos crueles castigos en contra de los sentidos los convertían en verdaderos infiernos.

Acerca de los conventos cuyas reglas permitían cierta liberalidad, Benítez escribe que las monjas gustaban de organizar comidas amenizadas con música y cantos a los clérigos de alto rango, y reflexiona: «Pudo haber ciertos devaneos en los locutorios o ciertas mundanidades, pero la otra cara del convento, la de la santidad, era mucho más temible que aquellas manifestaciones barrocas, no del todo excesivas»; en realidad, la supuesta intención de santidad, al desviarse, lindaba con lo diabólico. (Es interesante anotar que nuestro premio Nobel Octavio Paz toca este mismo tema en *Las trampas de la fe*.)

Benítez considera a las monjas novohispanas como nuevas vestales: «Su sexo es tan ardiente que debe ser preservado haciéndolas invisibles a las miradas de los hombres», para lo cual se les recluía entre murallas y rejas. Su flaqueza era cuidada por las demás y no se toleraba ni la menor desobediencia.

Por otra parte, la vida doméstica en los conventos incluía, de manera importante, a las criadas de las monjas, llamadas significativamente «madres de amor». Estas mujeres del pueblo venían de un mundo en donde el sexo no producía miedo ni sentimientos de pecado, sino de placer. «Una monja desnuda dejaba de ser monja y se convertía en una mujer de hermosos pechos, de muslos redondos tapizados de un vello muy fino y con un sexo cubierto del pelo risado y espeso del que las esclavas carecían. Las metían suavemente en el agua tibia perfumada con hierbas y enjabonaban sus cuerpos y les daban masajes y acariciaban sus partes más íntimas. Las criadas cumplían órdenes y tenían la costumbre de obedecer. Alguna vez la monja, para terminar el rito, le ordenaba a su criada golpearla hasta que su propia leche opalina le escurría por los muslos.»

FANATISMO RELIGIOSO

El carmelita descalzo español fray Agustín de la Madre de Dios (1610-1662) relata en un libro de largo título (*Tesoro escondido en el Monte Carmelo mexicano. Mina rica de ejemplos y virtudes en la historia de los carmelitas descalzos de la provincia de la Nueva España*), la vida y los milagros de santos, beatos y miembros distinguidos de la orden.

El aspecto más impresionante de esta obra es la crueldad y el masoquismo de las penitencias que se infligían los carmelitas (su nombre se vincula al carmín, color de la sangre que debe derramarse en honor a Cristo). Uno de los fundamentos de la orden es la mortificación de todos los sentidos: ayuno y sabores insípidos o desagradables, a veces hasta asquerosos, contra el gusto; nauseabundos olores contra el olfato; los ojos siempre hacia el suelo y materiales rasposos sobre los párpados, contra el placer de ver, y en ocasiones las ventanas de la celda tapadas, cuando la vista era agradable; coros sin alardes melodiosos para que no disfrute el oído. Destaca sobre todo el tormento al tacto (sentido que comprende al placer sexual) a fin de preservar la castidad, el sometimiento de los humanos deseos con variados instrumentos para el martirio del cuerpo, hasta sangrarlo: látigos de reata o cuero que llamaban *disciplinas,* en ocasiones endurecidos con cadenas y picos metálicos; cilicios o fajas de toscos materiales agresivos a la piel o con púas, para traerlos puestos de manera permanente apretados sobre el cuerpo; brazaletes, escapularios y cruces con alambres punzantes o alfileres colocados hacia adentro; calzones apretados hasta lastimar; golpes en el pecho con piedras, zapatazos en la cara.

Veamos una espeluznante selección de datos, a veces escatológicos. Las oraciones de media noche concluían hasta las dos y media de la madrugada y después los frailes se quedaban en el coro «plantados de rodillas, unos hasta las cuatro de la mañana y muchos hasta las cinco en que empezaban la oración del día». Se practicaban ayunos y cruentas penitencias, porque «¿quién, atendiendo lo que merecen sus culpas, no tomará venganza de su carne? El sueño de la noche era muy corto, las disciplinas muy largas, tanto que dejaban manchadas las paredes con aquella sangre pura».

Los cilicios, los rayos, las cadenas y muchos otros tipos de flagelos e instrumentos de autotortura se guardaban en un lugar del convento que este fraile llama «una armería». Si el prior veía que algún religioso andaba encorvado o encogido por traer puesto alguno de esos macabros inventos para atormentarse, lo reprendía gravemente. Algunos se humillaban caminando con una larga soga al cuello, arrastrándola; otros andaban con las bocas amordazadas y otros más con la espalda desnuda, «con honestidad decente, y se la van abriendo con los golpes de una dura *disciplina* que hace saltar la sangre». Unos se colgaban una cruz con púas del pecho o la espalda, «por donde entraban los agudos clavos haciendo muchas heridas; y el modo de curarlas era renovarlas con el uso continuo de la cruz.

»Procuran los hermanos tratar sus cuerpos con grande rigor, como al mayor enemigo que tienen, no dando gusto en nada a sus sentidos.»

Algunos frailes eran amarrados a un madero, por su propia voluntad, otros arrastraban grillos y cadenas en los pies o traían atadas las manos atrás; a unos los jalaban de los pies con una cuerda, envueltos en un costal, tirados en el suelo; había quienes pedían ser golpeados, azotados, abofeteados, pateados y escupidos por otros. Algunos usaban corona de espinas. «Hacían tan grandes penitencias y tomaban tan crudas disciplinas que las paredes de celdas y noviciado se veían llenas de sangre y el suelo muchas veces.»

Para mayor mortificación se golpeaban con varas de membrillo; dormían en camas de tablas, por almohada utilizaban una piedra o un tronco «y por cubierta una manta hecha de pelos de cabra que en lugar de ser abrigo era cilicio bronco».

El libro describe casos específicos, como el de fray Elías de San Juan Bautista, «hombre penitentísimo y enemigo de su carne». Fray Mateo de la Cruz «aborrecía en extremo el trato de mujeres y decía que eran como las sanguijuelas que, entrando disimuladas, beben la sangre al hombre». Para fray Juan de Jesús María, maestro de novicios en el convento de Puebla, «era su mayor regalo el ser verdugo propio y crucificar su carne, usando de instrumentos muy penosos. Queriendo descarnarse totalmente de todo afecto humano, ni a sus hermanos ni padres trataba ni escribía». Fray Antonio de la Madre de Dios no dormía sobre tablas, sino sobre troncos desiguales. Fray Mateo de Jesús María, «para apagar las llamas del cuerpo», se revolcaba sobre nopales y cáscaras de chayotes, quedando «hecho un erizo, vertiendo arroyos de sangre»; no sorprende que acabara en el manicomio y poco antes de morir le descubrieron una gran llaga «en los riñones, tan profunda que se le veían los huesos y con unos gusanos tan gordos que a mí me daban asco».

A fray Alonso de San José le supuró un tumor debajo de la oreja y se le infectó de tal manera que «le crió gusanos voracísimos, los cuales le iban royendo lo interior de la cabeza. Concurrió allí un humor tan pestilente» que no podían acercarse ni a la puerta de su celda. Fray Cristóbal de San Jerónimo propiciaba su amor a Dios «cuando está el cuerpo más mortificado y el lascivo apetito más rendido». Fray Eliseo de Jesús lamía y cogía con la lengua «las flemas más asquerosas» que había por el suelo, «fabricando su corona y acumulando gracia». Fray Buenaventura de la Madre de Dios, prior del convento del Desierto de los Leones, cuando era novicio se metió largo rato en la boca un sapo muerto, «hediondo e hinchado, lleno todo de gusanos y a medio corromperse», y tiempo después, estando otro fraile con una herida llena de pus, «no sólo la limpiaba sino también la chupaba, aunque la fuerza del hedor horrible muchas veces le hacía desmayar».

Mortificaban el sentido del olfato de variadas maneras, como guardar por muchos días en sus celdas «las aguas más podridas y asquerosas que de nuestra corrupción desaguan continuamente, sin limpiar los vasos que sirven para ellas»; acercaban esas bacinicas a la nariz, diciendo que con aquello «conocían lo que eran y castigaban lo que habían sido». Muchas veces los superiores les ordenaban a los novicios que metieran la cabeza en las letrinas del convento, «donde estaban los ascos más horribles», teniéndolos allí por mucho tiempo, «y echaban las entrañas»; en ocasiones debían limpiar los asientos de esas letrinas, lamiéndolos.

Aunque la mayor parte de este libro trata de los frailes carmelitas en México, no faltan interesantes noticias sobre monjas de la misma orden, como la madre Isabel de la Encarnación. Su pubertad, primero, y quizá fogoso temperamento, después, la hicieron sufrir dieciséis años los embates de su propia naturaleza, que en aquellos tiempos parecían del demonio: «Salió Satanás del infierno a dar principio a las batallas que con ella sustentó toda la vida. Y empezó a combatirla con una porfiada y terrible tentación contra la pureza, con asalto tan bravo y repentino que le causó notable pena por ser cosa que tanto aborrecía». Ella se defendía con renovadas mortificaciones y penitencias, «domando la carne» y haciendo ayunos. En su delirio, se le aparecieron tres feroces demonios, uno en figura de un «mancebo hermoso, el cual la provocaba a cosas deshonestas haciendo delante de ella torpísimas acciones». Enviaba Lucifer gran cantidad de diablos para «hacer guerra a esta virgen, excitando en su cuerpo y en su alma unas abrasantes llamas; se le representaba desnudamente lascivo, pero la virgen de Cristo más firme que una roca resistía a las olas de tan furiosa tormenta. Dieciséis años continuados duró esta prueba».

Junto a la hermana Isabel, lo que hacía sor Francisca de la Natividad era un mero juego de niños: mandaba a las religiosas que atraparan chinches «y como si fueran muy regalados confites o colación muy sabrosa, empezando la priora se las iban comiendo».

La hermana Beatriz de Santiago no se quedaba atrás: dejaba pudrir la carne para luego comérsela.

En el convento de Santo Domingo de la ciudad de México —nos informa ahora fray Antonio de Remesal— había cincuenta y seis religiosos que vivían de limosnas y mortificaban su cuerpo con rigor para ahuyentar las tentaciones del pecado; en la noche, terminando las oraciones, se apagaban las luces y todos los que querían «tomaban *disciplina* y casi ninguno la dejaba de recibir, y eran tan recias y tan ordinarias, que era mucho no acabar la salud y la vida con mucha brevedad, los que así se castigaban». Esas autoflagelaciones, hasta la sangre, de los monjes católicos, eran esencialmente similares a lo que hacían los sacerdotes prehispánicos que se atravesaban el miembro viril con espinas de maguey para alejar el deseo.

Resalta el historiador las costumbres del padre Cristóbal Pardavé, allá en Chiapas. Por caluroso que fuera el clima, nunca dejó de vestir su gruesa túnica de lana tosca; debajo, siempre traía un cilicio de ásperas reatas enrolladas «a raíz de las carnes» que le cubría hasta las rodillas, para lastimarse; su cama era de tablas cubiertas de ortigas y «sobre ellas se echaba desnudo». Con tales tormentos, lo menos que podía sucederle al padre Pardavé era morirse y la sorpresa que se llevaron aquellos que prepararon su cadáver no fue poca cosa; cuando lo desnudaban para amortajarlo, hallaron «un aro de hierro con púas, tan apretado al cuerpo que ya lo sobrepujaba la carne»; entonces entendieron los religiosos lo que nunca habían podido comprender: en ocasiones veían en el suelo al padre Cristóbal, arrastrándose hasta un banco, donde se levantaba poco a poco. «Hízose escrutinio de su celda y apareció en un arca cerrada el tesoro de los instrumentos de su penitencia: diferentes *disciplinas* y cilicos, rayos ensangrentados, cadenas con garfios, cruces con clavos y monio autorizaba el deleite amoroso y el éxtasis con que finalmente las recompensaba. El propio Barcia, «el fuego que lo abrasaba era el fuego del amor a Cristo, lo cual originaba una ambigüedad. Unas veces le hablaba como a una mujer amante y otras como a un hombre amado». Bajo la inspiración de San Juan de la Cruz, «escribía versos no del todo desdeñables»:

> Pequé, esposo querido.
> ¡Ay! quien pudiera ahora,
> de dolor de sus yerros,
> perder la vida y honra.
> Perdona, Esposo Amado,
> mi bien, mi amor, perdona;
> que yo te doy palabra
> de que he de ser muy otra.
> ¡Ay de mí, mas ay de mí!
> que al que me dio favores
> ingrato lo ofendí.

El arzobispo Francisco Aguiar y Seixas, durante los últimos meses de su vida, ya muy enfermo, no prescindía de los cilicios: «Traía uno de acero tan metido en la carne que los médicos debieron cortarlo con sierra y tenazas. Murió con un cilicio muy apretado y una cruz colgada de una cadenilla erizada de púas». Le gustaba comer solo en su aposento, sin adornos ni salero, ya que se mortificaba tomando guisos desabridos. En sus visitas pastorales, hacía cubrir la ventana de la celda de los monasterios en que se alojaba con una manta, para no ver el campo ni la huerta. De manera intencional, Aguiar dormía con un sarape infestado de insectos: «Chinches, pulgas y piojos eran plagas enviadas por Dios con el propósito de aumentar el martirio de sus elegidos y hacían buena compañía a los pinchos y clavos de los cilicios».

otras diferencias de tormentos, con que merecía los muchos gr
de gloria que ahora posee.»

Por su parte, Fernando Benítez abunda en el asunto. En a
llos conventos convertidos en reductos de suplicio y de sangr
adversario a vencer estaba bien identificado: el gran enemigo e
cuerpo humano en general y el cuerpo de las mujeres en partic
«La mayor ambición consistía en azotarlo, humillarlo y castigarl
sustraer al mundo el mayor número de mujeres posible, ocultar
mantenerlas prisioneras por ser la causa de las mayores culpas
realidad, no se sabía qué hacer con algo tan exigente, sucio, i
rioso y tan opuesto a los intereses del alma: «El cuerpo era algo
tial y debía ser necesario castigarlo y reprimirlo sin cesar».

Y sigue el historiador: «Las monjas más piadosas y respe
eran las que más se ensañaban contra ellas mismas». Una llegó
licitar que se le grabara en la cara, con un hierro ardiente, el se
clava del Santísimo Sacramento». Como el arzobispo rechaz
petición, ella, con un cuchillo, se marcó en un brazo «el amo
la esclavizaba eternamente a su dueño».

Una monja aparecía los viernes en el refectorio, a la hora
comida, y «se desnudaba hasta la cintura y se flagelaba entre lág
sollozos y confesiones de pecados insignificantes que ella creí
nos del infierno. Las paredes de sus celdas estaban manchadas d
gre y algunas llegaron a utilizar el flujo de sus reglas a fin de ac
la violencia de su flagelación».

En algunos conventos masculinos se buscaba el éxtasis rel
a través de esos caminos de castigos, abstenciones y ayuno
monjes se propinaban formidables palizas, «odiaban a las m
por no poder gozar de ellas y esta obsesión de pureza los hac
en actos demenciales. Conjurando el infierno futuro, se creab
fiernos que los sumían en tormentos demoniacos».

El padre Domingo Pérez de Barcia, fundador del Cole
Niñas de Belén, de acuerdo con Benítez incitaba a las monja
tregarse al Amado (o sea a Cristo), pues eran sus esposas y el

EROTISMO, LUJURIA Y HOMOSEXUALIDAD

Bartolomé de Góngora escribió una especie de tratado administrativo con previsoras recomendaciones, mismo que tituló *El corregidor sagaz*. Un capítulo aconseja «que el corregidor evite prolijas amistades y la conversación con mujeres libres de condición, porque con sus blanduras suelen hacer prevaricar a los santos, cuanto más a los corregidores». Que en los litigios nombren a representantes, pues «nunca la multitud de las mujeres ha parecido bien en los juzgados» y agrega, refiriéndose a la poligamia: «Muchas no son sino para el Gran Turco».

«Mucho debemos a las mujeres, pues nacimos de ellas. Sin ellas es como chocolate sin azúcar, vianda sin sal, monte sin leña, selva sin agua, río sin pescado. Pero tienen un contrapeso, que como Eva nació de una costilla, ellas quieren exorbitante costa, a costa de sus amables dueños, que pudieran evitarla con leños.»

Para deleite de nuestras feministas contemporáneas, continuemos con las advertencias ante las mujeres: «Debe el juez recibirlas con cortesía y recato, imaginando que le viene a picar un áspid cuya mordedura es insensible. Alerta con las mujeres libres, de quien nos libre Dios».

Acerca del voto de castidad, fray Antonio de Remesal asegura que, en Chiapas, los frailes tenían un notable recato al hablar y tratar con mujeres indígenas y agrega, quizá con poco conocimiento de estas debilidades humanas, «que aunque su gracia y talle no era para aficionar, por ser puercas, sucias, hediondas, pintadas o embetunadas con cierto barniz de mal olor, desnudas, descompuestas, descabelladas, y de tan mal detalle y facciones de rostro, que el sólo mirarlas era bastante para modificar el sentido más apasionado del mundo».

Las normas religiosas prevenían cualquier posible desviación de los frailes al establecer que la gente de su servidumbre doméstica «no sean niños ni muchachos, sino hombres mayores de entendimiento que pudiesen juzgar entre lo bueno y lo malo». Sirvió mucho para quitar «toda mala sospecha, el no andar los religiosos solos en ningún caso ni acontecimiento».

El peruano Antonio de León Pinelo escribió un curioso tratado —*Cuestión moral si el chocolate quebranta el ayuno eclesiástico*— publicado en Madrid, en 1636, para dilucidar un asunto religioso que preocupaba en aquella época: si el cacao podía considerarse alimento o sólo bebida, para fines de ayuno religioso. Todo un libro en forma ocupan sus disquisiciones acerca de este producto característico del Soconusco chiapaneco.

Muy de aquellos días era atribuir características *térmicas* a lo que se ingiere, y así el chocolate —de acuerdo con Pinelo— tiene una «parte fría» que lo vincula a la tierra, otra caliente relacionada con el aire y una más, «calidísima», correspondiente al fuego, «provocando sudor, llamando la regla, desopilando [obstruyendo] y aun acelerando los excrementos del vientre».

El chocolate era benigno y maligno, según se tratara del cacao crudo o tostado y procesado. Sin preparación, resultaba «restreñir el vientre, detener de todo punto la regla, cerrar las vías de la orina, opilar el hígado y mucho más el bazo, privar el rostro de su vivo y natural color, debilitar la digestión del estómago, acortar terriblemente el aliento con un molesto cansancio, causar paroxismos y desmayos, y a las mujeres sofocación o mal de madre; y sobre todo causa y engendra unas perpetuas ansias y melancolía que parece que el alma se le sale».

En cambio, el chocolate ya procesado «engorda y sustenta al

hombre, provoca la orina, es saludable remedio para toda opilación, repara los males de madre, causa alegría y pone fuerza al cuerpo; si es mujer estéril se hace preñada, y la parida tiene sobrada leche». Todo esto daría la razón al padre Joseph de Acosta, quien sostenía que el chocolate era afrodisiaco o, como dice León Pinelo, «imputando al cacao tostado de que tiene malicia».

También servían los granos de cacao «a los que tienen llagas en las tripas, porque tostados un poco son mantecosos y mitigan maravillosamente los dolores».

Igualmente, los ingredientes acostumbrados para preparar el chocolate tenían lo suyo. En el caso de la «pimienta de Chiapas o de Tabasco, su virtud es confortar el corazón con el estómago; es buena para las mujeres que no les baja bien y es provocadora algún tanto de lujuria». El cacao con la vainilla «acelera el parto y hace expeler a la criatura muerta». Con axiote «aumenta la leche y restriñe las cámaras».

Una receta es recomendable para los «melancólicos, que sueñan con muertos, toros y cosas tristes y duermen mal; a estos conviene beber el chocolate sin chile y poco anís, y echarle cosas de buen olor».

En Chiapas, relata el fraile dominico inglés Thomas Gage que las mujeres acostumbraban tomar chocolate durante la misa, en una especie de *hora feliz,* hasta que el obispo prohibió esa sibarita costumbre; la venganza de las fieles no se hizo esperar y el prelado murió envenenado con un chocolate que le fue obsequiado. Y ya entrado en contra de las chiapanecas del siglo XVII, asegura que las mujeres «son dadas a los placeres mundanos, y el demonio les inspira diversos modos de seducción y atractivo para que las almas piquen el anzuelo de la tentación y se precipiten en el infierno envueltas en la red del pecado. Y desgraciado el que desdeña sus finezas, pues ellas saben vengarse con una jícara de chocolate o una caja de conserva».

Del ojo crítico de fray Isidro de la Asunción no se salvaban sus propios paisanos españoles; dice que su modo de vivir «es de caballeros y de gente ociosa, porque ninguno quiere trabajar». Abunda sobre las mujeres, quienes aun siendo pobres no estaban dispuestas a «servir, y como son muchas las pobres son muchas las malas, que para vivir se entregan a quien las sustenta». A esa falta de amor entre las parejas atribuye que hubiera tantos niños criollos «pepenados, que echan por puertas ajenas sin conocerles padre ni madre». Por *pepenados* debe entenderse «recogidos», niños abandonados y adoptados por alguna familia que no era la suya.

He aquí otro par de datos: fray Agustín de la Madre de Dios recuerda que una señora noble, enamorada de su confesor, escaló una pared del convento en pos de su amado. Fray Agustín de Vetancurt proporciona la noticia de que, hacia 1653, «se descubrieron salteadores, que se ajusticiaron en un día, y quemaron otra tropa de sométicos [homosexuales] y celebróse auto general del Santo Oficio».

De la ciudad de México y de nuestras mujeres, dice el italiano Gemelli Carreri que la buena edificación y ornato de sus construcciones compite con las mejores de Italia; «mas les supera la belleza de las damas, que son hermosísimas y de muy gentil talle. Son en gran manera afectas a los europeos y con éstos, aunque sean muy pobres, se casan mejor que con sus paisanos, aunque sean ricos». A causa de ello, dice el viajero, los criollos «se unen con las mulatas, de quienes han mamado, juntamente con la leche, las malas costumbres». Saltan a la vista los prejuicios raciales y de la época.

Aunque el objetivo primordial de fray Andrés Pérez de Rivas es dar a conocer los «triunfos logrados por nuestra santa fe» en Sonora, en todo caso no deja otras materias sin abordar ni pasa por alto ninguna singularidad, como las costumbres de incesto cotidianas entre los indios mayos de aquella época y la práctica de abortos, así como el cuidado de la virginidad, la homosexualidad y la poligamia: «El tener muchas mujeres no era general en todos, sino lo ordinario en los principales y cabezas».

En algunos pueblos, las jóvenes solteras usaban un collar con una concha labrada que significaba su condición de virgen, pues quienes la habían perdido «es cosa afrentosa entre ellos». Se sorprendía el autor de que las mujeres anduvieran solas por el campo sin que nadie las molestara, «lo que no sé si con tanta seguridad lo pudieran hacer en algunas tierras de cristianos».

Pérez de Rivas deja esta noticia acerca de la homosexualidad practicada en aquellos pueblos indígenas: «Este vicio inmundo, que por su indecencia no se nombra, se hallaba entre estas gentes; pero como es más que bruto —pues no se halla en los brutos animales—, era tenido entre estas naciones por tan vil y afrentoso, principalmente en los pacientes, que éstos eran conocidos y menospreciados por todos, y los llamaban en su lengua con vocablo y palabra afrentosa, y no usaban arco ni flecha, antes algunos se vestían como mujeres».

El misionero Francisco María Pícolo proporciona importante información etnográfica acerca de los «californios»: vivían en rancherías de veinte a cincuenta familias; no habitaban en casas, pues «la sombra de los árboles les sirve para resistir los bochornos del sol y las ramas y hojas de los mismos para guarecerse en la noche contra la inclemencia del tiempo»; en el rigor del invierno vivían en unas cuevas subterráneas que excavaban, y «en todos estos resguardos moran muchos juntos, como brutos».

Los hombres andaban desnudos y sólo portaban ceñida en la frente una faja tejida o una «redecilla curiosa, y algunas figuras de nácar bien labradas que penden del cuello, que a veces guarnecen con algunas frutillas redondas como cuentas». Las mujeres «andan con más decencia», pues sólo tenían descubierto el pecho; se cubrían de la cintura hasta las rodillas con «unos canutillos de carrizo, curiosamente unidos; su aliño en la cabeza es una redecilla de hilo que sacan de algunas hierbas o de pita que sacan de los mezcales».

De igual manera, en Sonora los indios por lo general no portaban ninguna vestimenta, sobre todo los del sexo masculino. El capitán Juan Mateo Mange hace varias referencias a ello, aclarando que «sólo las mujeres tenían mal tapada su decencia con pieles blandas de liebres y ciervos». En un avance militar y evangelizador, algunos indios «venían a dar su obediencia tan desarmados como desnudos, sin más atavío que el de la inocencia, de tal suerte que para recibir un carga de pinole que les dimos, precisó que la mujer de Soba y otra se desnudasen de dos gamuzas con que cubrían su recato, donde lo recibieron, quedando desnudas entre los matorrales donde se ocultaron».

El ensayo *El pecado nefando en la Sonora colonial,* de Julio César Montané —al que ya nos asomamos—, nos remite al medievo europeo del siglo X, con Odon de Cluny: «La belleza del cuerpo sólo reside en la piel. En efecto, si los hombres vieran lo que hay debajo de la piel, la visión de las mujeres les daría náuseas... Puesto que ni con la punta de los dedos toleraríamos tocar un escupitajo o un excremento, ¿cómo podemos desear abrazar este saco de heces?»

Montané enmarca su tema dentro del noroeste de México. En 1601, la *Relación de Sinaloa* apunta que había «un poco de pecado nefando, y los pacientes, que son raros, se visten como mujeres y hacen los oficios que ellas». Tres lustros más tarde, allá mismo, la *Carta annua* habla de lesbianismo: «Otras mujeres hay, aunque pocas, amancebadas unas con otras, y así tratan poco con hombres, y de éstas suele haber mujer que tiene cinco o seis mujeres».

En 1602, el capitán Sebastián Vizcaíno relata que un indio en Baja California les ofreció «a cada uno de nosotros, diez mujeres para dormir».

En 1662, el rey Felipe IV fue enterado de que la homosexualidad y hasta el bestialismo eran vicios practicados en México, «donde parece que los hombres, saciados del apetito sensual de las mujeres, se buscan unos a otros, sin castigo ni temor que los refrene», no obstante que el virrey duque de Alburquerque mandó a la hoguera a quince de ellos, «llamados por edicto más de otros cien».

Algunas poesías de Sor Juana Inés de la Cruz (1651-1695) podrían considerarse eróticas. Unas fueron inspiradas por su «amiga queridísima», la virreina marquesa de la Laguna y condesa de Paredes; otras se refieren al amor divino, dentro de la corriente del misticismo. El antecedente de esta tendencia lo encontramos en la España del siglo XVI, donde se dio el fenómeno religioso y literario de los «místicos» encabezado por Santa Teresa de Jesús, San Juan de la Cruz y Fray Luis de León; el amor a Dios lo expresaban tan ardientemente que parecía no tener fronteras con el amor humano. De alguna manera se inspiraron en el Cantar de los Cantares de la Biblia: «¡Ah, llévame contigo, sí, corriendo, / a tu alcoba condúceme, rey mío: / a celebrar contigo nuestra fiesta / y alabar tus amores más que el vino».

Los místicos tuvieron sus propios alcances, como Santa Teresa: «Cuando el dulce Cazador / me tiró y dejó rendida, / en los brazos del amor / mi alma quedó caída, / y cobrando nueva vida / de tal manera he trocado, / que mi Amado es para mí / y yo soy para mi Amado». Estos otros versos son de San Juan: «Gocémonos, Amado, / y vámonos a ver en tu hermosura / al monte y al collado, / do mana el agua pura; / entremos más adentro en la espesura». En fin, así escribía Fray Luis de León: «El amor y la pena / despiertan en mi pecho un ansia ardiente; / despiden larga vena / los ojos hechos fuente». No sorprende que la primera edición de las obras de San Juan de la Cruz fuera censurada, mutilando el «Cántico espiritual». «Un amor tan extremado se juzgó carnal e impúdico.»

Octavio Paz nos recuerda que las pastoras de Valdivielso requiebran al Santísimo como a uno de sus amantes: «Mi amado esposo / lindo cuerpo tiene. / Su gracia adoro».

El misticismo español llegó a la Nueva España en el siglo XVII y Sor Juana Inés de la Cruz tiene numerosas muestras de esa corriente literaria (y psicológica). Dice Fernando Benítez: «Si la carne satisfecha exige reposo, la carne insatisfecha genera ficciones y amores sin término posible. El delirio y el éxtasis que se le niegan a Sor Juana los expresa en su poesía. Insaciable amante, está dotada de una libido poderosa que se desahoga y cobra forma en su poesía erótica».

El enamoramiento de Sor Juana por la esposa del virrey (no se sabe si casto o no) ha ocupado muchos estudios de toda índole a lo largo de tres siglos. Sin mayores preámbulos, veamos el atractivo cuerpo de «Lisy», la virreina, en ojos de Sor Juana:

Tránsito a los jardines de Venus
órgano es marfil, en canora
música, tu garganta, que en dulces
éxtasis aún al viento aprisiona.

Pámpanos de cristal y de nieve,
cándidos tus dos brazos, provocan
Tántalos, los deseos ayunos:
míseros, sienten frutas y ondas.

Dátiles de alabastro tus dedos,
fértiles de tus dos palmas brotan,
frígidos si los ojos los miran,
cálidos si las almas los tocan.
[...]
Móviles pequeñeces tus plantas,
sólidos pavimentos ignoran;
mágicos que, a los vientos que pisan,
tósigos de beldad inficionan.
[...]
Índices de tu cara hermosura,
rústicas estas líneas son cortas;
cítara solamente de Apolo,
méritos cante tuyos, sonora.

Sor Juana llama a la virreina: «Ángel eres en belleza / y ángel en sabiduría / porque lo visible sólo / de ser ángel te distinga» [...] «Reina de las flores eres / pues el verano mendiga / los claveles de tus labios, / las rosas de tus mejillas». Y agrega:

Hete yo, divina Lisy,
considerado estos días
ocupada en Él que sólo
es digno de tus caricias.
[…]
Ser mujer, ni estar ausente,
no es de amante impedimento,
pues sabes tú que las almas
distancia ignoran y sexo.

Ya se sabe que los autos sacramentales son representaciones teatrales religiosas sobre el dogma y misterio de la Eucaristía, o sea la transustanciación de Cristo en la ostia y el vino, su cuerpo y su alma, y utilizan alegorías y metáforas. En este auto, *El divino Narciso,* Sor Juana recurre a imágenes amorosas:

Que pues por ti he pasado
la hambre de gozarte,
no es mucho que mostrarte
procure mi cuidado,
que de la sed por ti estoy abrasado.
[...]
¡Ven esposa a tu querido;
rompe esa cortina clara:
muéstrame tu hermosa cara,
suene tu voz a mi oído!

ACCIDENTES CRUENTOS Y ENFERMEDADES

A los ojos del capitán Martín Alfonso Tovilla, la ciudad de México era una gran metrópoli donde florecían todos los vicios y por ello recibía un merecido castigo divino: la inundación que duró cinco años, de 1629 a 1634. Como la urbe se fundó sobre una isla y sobre el terreno que se le ganó a la laguna, fue «causa de que ha estado la más de ella, estos años atrás, anegada»; ciertamente, la más prolongada inundación que padeció nuestra capital duró casi un lustro y a Tovilla le tocó verla, aunque le atribuye al desastre, además, trascendentes orígenes:

«La causa son nuestros pecados y en particular los de los moradores de aquella ciudad, que como es tan regalada y rica es ocasión de muchos vicios, y las mujeres lo son tanto que de noche y de día no hacen otro oficio más que jugar a los naipes y perder sus haciendas con mucha facilidad. En esto y en las canoas que andan por la ciudad hay gran desorden y demasía.» En efecto, la inusitada duración del grave percance desarrolló una verdadera industria de fabricación de lanchas de un solo tronco, sobre todo con madera traída de los bosques de Río Frío.

Pero al capitán se le hizo poco el escarmiento y deja abierta la puerta para mayores penitencias: «Quiera Nuestro Señor que algún día no oigamos un gran castigo del cielo sobre la ciudad. Yo confío en su Divina Majestad y en que los muchos santos religiosos que hay en ella serán bastantes para que Nuestro Señor haga que se moderen los vicios».

Lo cierto es que desde los primeros años de ese siglo XVII, el ingeniero y astrólogo alemán Heinrich Martin, el más grande ecocida de nuestra historia (mejor conocido como Enrico Martínez), estaba construyendo el túnel de Huehuetoca, en el paraje de Nochistongo, cercano a Tula, Hidalgo. El objetivo era desecar los lagos del valle para evitar las periódicas inundaciones de la capital, en vez de respetarlos e idear algo más *ingenioso* (de allí el nombre de «ingeniero»); como se le derrumbó varias veces el túnel, finalmente se concluyó como «tajo» que corta una montaña. Pero eso ya fue después: cuando la ciudad se inundó aquel quinquenio, las obras no se habían terminado y Martínez fue encarcelado; más tarde se le liberó a fin de que le diera término a esa criminal solución. Hasta hoy en día ése es el canal de desagüe de la ciudad de México y se le agregó el drenaje profundo que sale del valle por el mismo rumbo.

Fray Juan de Torquemada deja noticias de que en la ciudad de Puebla acaeció un horroroso accidente, en unos manantiales de aguas hipertermales «de agua tan caliente, que quema». Un muchacho descuidado caminó por esos lugares pantanosos e hirvientes y «se le hundió un pie, y aunque le socorrieron luego, dejó dentro la carne de toda la pierna, y sacó el hueso y nervios limpios, y murió luego de ello». Lo mismo le pasó a un caballo y «también le peló los pies, y se mancó».

Otro acontecimiento escalofriante (valga este adjetivo, tan impropio en este caso) tuvo lugar en Jalisco, «a siete leguas de la ciudad de Guadalajara» (podría tratarse de La Primavera, hacia Ameca, o de las riberas nórdicas de Chapala). Un personaje enfermo fue a tomar unos baños de agua caliente y lo acompañó una negra de su servidumbre, que también tenía algún padecimiento: «Hicieron que entrase la negra, y no hubo entrado cuando comenzó a dar voces diciendo que la sacasen porque se abrasaba, a lo cual no asintiendo los enfermeros, le dijeron que callase, que aquello era lo que convenía, y aunque más voces dio no la creyeron... Cuando alzaron la frazada y la descubrieron, la hallaron muerta, y queriendo sacar el cuerpo, fue a pedazos y no entero, porque con el mucho calor del agua se había cocido».

Este otro cruento suceso fue protagonizado por unos «indios voladores» totonacos, probablemente de la Sierra Norte poblana. Uno de ellos, al parecer bebido, «por traer en las manos un tambor y una sonaja, o porque ya la cabeza le pesaba mucho, vino al suelo y se hizo mil pedazos».

A favor de los poderes de mi santo patrono, fray Isidro de la Asunción reporta que en Puebla había «muchas tempestades, y en ellas son frecuentes las centellas y rayos que caen, antes con mucho daño de los vecinos, pero ahora, con la devoción que tomaron a nuestro padre San José, haciéndole dos octavarios cada año, no experimentan las muertes repentinas».

De otro insólito asunto de aquel siglo XVII, Fernando Benítez nos entera. Concierne al padre Pedroza, quien fue recetado de singular manera por sus doctores para combatir una penosa enfermedad: «Los médicos ordenaron que un ama de cría le vertiera la leche de sus senos en los oídos». Reaccionó diciendo: «Pues ¿no es iniquidad y cosa ajena de toda razón que con pretexto de medicamento venga una mujer a subírseme en la cama?» El sacerdote tuvo que rendirse, mas puso como condición que la nodriza fuera de clase baja y muy fea, lo cual no tenía sentido pues «todo el tiempo que la mujer exprimió sus pechos, Pedroza mantuvo los ojos cerrados y derramó lágrimas de dolor».

La formidable energía del padre Kino, portentoso explorador (que recorrió trece mil kilómetros a caballo de 1687 a 1702), no la tuvieron siempre sus acompañantes. Al regreso de la última expedición al río Colorado, el padre Manuel González murió víctima de penosos sufrimientos, acrecentados por las extraordinarias cabalgatas: «El único desconsuelo que traíamos era que el padre rector había estado muy malo de *cursos* [diarrea] y almorranas»; se hallaba tan debilitado, que fue forzoso cargarlo «en un *tapeste* a hombros de los naturales». Antes de morir, «con la mucha caridad que le llegó, dio a esos pobres naturales muchas dádivas, y aun gran parte de su propio vestuario y ropa blanca».

Fray Gonzalo de Hermosillo, primer obispo de la diócesis de Durango, tampoco se salvó de los designios de Dios, de acuerdo con Pérez de Rivas: «Quiso la divina bondad premiar luego las acciones de tan apostólico prelado sin dilatar el premio glorioso, y así entregó su bendita alma al Señor». Sucedió que en el camino tuvo un grave y repentino accidente, muriendo a los pocos días, «no aprovechando todos los remedios posibles en tierra tan destituida de médico y medicinas».

Personajes centrales a lo largo de todo el libro escrito por fray Andrés Pérez de Rivas acerca de Sonora son Dios y el Demonio. Son los protagonistas y a la vez los directores del resto del reparto: los indios y los españoles. Dios iba «avisando y apresurando la doctrina del Evangelio» de muy diversas maneras, entre ellas por medio de una «cruel enfermedad de viruelas y sarampión, tan contagiosa y pestilencial que a montones llevaba a la muerte a los indios». Las casas estaban llenas de enfermos, sin quedar en ellas quien los socorriera y alimentara; había cuerpos de hombres desollados, con llagas, «despidiendo de sí pestilencial olor; y aun pasaba tan adelante el horror, que sentándoseles las moscas a los enfermos y dejando allí su semilla, criaban gusanos, y hervían en ellos y los echaban por la boca y las narices».

Mas el jesuita es optimista, pues considera que fue «singular favor del auxilio divino» que casi todos los que murieron recibieron primero los santos sacramentos: «De donde se colige que endereza-ba Dios esta enfermedad para que tantas almas consiguiesen su eterna bienaventuranza y asegurarles la salvación».

Sobrevino por ese tiempo una epidemia, «que parece quería Dios comenzar a recoger frutos de este nuevo majuelo», y así aumentaron grandemente los trabajos del padre, por los auxilios espirituales que tenía que dar a los moribundos.

«Entre otros frutos que sacó Dios de esta enfermedad», uno fue el bautismo de sesenta y tres ancianos que habían rehusado recibir ese sacramento, «a persuasión del Demonio que les decía que con él habían de enfermar y morir». Pero enfermaron en todo caso y, sintiéndose morir, llamaron al padre, «el cual los bautizó y lavó en este celestial baño, y a los tres días se los llevó Dios a todos en estado de salvación».

Muchos indígenas rehusaban el bautismo porque le achacaban la muerte, debido a penosas coincidencias y a que muchas veces ese sacramento se daba en *articulo mortis*. Tal fue este caso: «Habiendo dispuesto a una india vieja, la bautizó el padre, y no parece que aguardaba Dios más para salvar a esta pobre alma, porque a las dos horas se la llevó, como podemos entender, al cielo».

De los niños bautizados y luego muertos, dice el jesuita que son «frutos tempranos de que gusta Dios».

Además de que era el estilo de toda una época, el barroquismo literario de nuestro autor va acompañado de una actitud candorosa e infantil. A una mujer, «catequizóla con la brevedad que daba el tiempo y peligro; bautizóla, poniéndole por nombre el dulcísimo de María; y viéndola su Santísimo hijo señalada con el nombre de su madre, parece que se la quiso llevar al cielo, porque murió en breve».

Fray Antonio de Remesal aporta diversa información chiapaneca de lo más disímbola e interesante; valga, a manera de muestra, este rarísimo y espeluznante caso de un caballo asesino: se trataba de un animal joven que fue montado por un señor, con su hijo en ancas; empezó a reparar y fue castigado con las espuelas, respondiendo a coces y corcovos y derribando al suelo a niño y jinete. Este último, enredado en el cabestro, fue arrastrado un tramo por el caballo y luego, «con una furia extraña como si fuera león, con los dientes le arrancó las partes viriles y mientras las comía o tragaba, con los pies y manos le quebró y molió todo el cuerpo, volviendo a comer de él, como si fuera hierba del campo, que con ese gusto le engullía. Fue todo eso tan presto, y la ferocidad del caballo tanta, que habiendo allí mucha gente, todos deudos y parientes suyos, nadie osó ni pudo socorrerle, y el desventurado cacique de Chiapas quedó de tal manera que en una canasta lo llevaron a enterrar, porque ni aun la cabeza le quedó entera».

Otro penoso accidente fue sufrido por un sacerdote «de esta provincia, muy buena lengua, y que con mucho provecho de los indios trabajaba en su enseñanza; yéndose a España, cayó de un corredor y haciéndose pedazos el cuerpo, se le estrelló la cabeza de modo que sesos y ojos le saltaron del casco, y se esparcieron por la tierra».

Fray Agustín de la Madre de Dios da cuenta de que, en un naufragio, los sobrevivientes se pelearon a cuchilladas para obtener lugar en el bote salvavidas, resultando finalmente abundantes ahogados y otros devorados vivos por los tiburones; aquellos que salvaron la vida subsistieron bebiendo sus propios orines para no morir de sed.

El singular pirata escritor William Dampier abunda en materias zoológicas, proporcionando valiosos datos de numerosas especies. Una no era silvestre, sino introducida: el ganado mayor, que había devenido cimarrón al grado de que se organizaban cacerías de toros. A uno de estos animales, herido de muerte, «le quedaba aún fuerza suficiente para perseguir y atrapar a su adversario, pisoteándolo y corneando su cadera». Otro cazador fue arrollado por un rebaño en tropel, «lo cornaron en la espalda y lo acarrearon cien pasos por la sabana, donde cayó, con las tripas arrastrando en el suelo».

Dampier y sus secuaces llegaron hasta el puerto de Alvarado y lograron tomar el fuerte, con la pérdida de once hombres. Parte del botín fueron muchos «pericos amaestrados, los mayores y más hermosos pájaros de su clase que yo haya visto en las Indias. Su color era amarillo y rojo, y parloteaban lindamente», lo cual, dado el pueblo de origen de las aves, deben de haber sido *palabras mayores*.

En la selva campechana, a Dampier se le infectó una pierna; tenía «un bulto duro, rojo e inflamado como un furúnculo, tan doloroso que a duras penas era yo capaz de pararme en ella». Se trató con raíces de lirios y «finalmente percibí dos máculas que, al exprimirlas, brotaron dos pequeños gusanos blancos, cada uno investido de tres filas de pelo negro, corto y rígido». De cada orificio sacó varios centímetros de gusanos a lo largo de algunos días.

MÉXICO VIRREINAL.
SIGLO XVIII

REBELIONES Y OTROS DELITOS. EJECUCIONES Y JUSTICIA OFICIAL

Rememoremos con Francisco Sedano algunos sucesos. El capitán de la Real Sala del Crimen, Miguel de Velázquez, también lo fue del Tribunal y la cárcel de La Acordada, de 1719 a 1732. Mucho logró por la pacificación del país, asolado por «cuadrillas de salteadores, campeadores, ganzueros, guerristas e incendiarios; hizo sufrir la pena de horca a cuarenta y tres reos ladrones, a garrote a ciento cincuenta y uno y desterró a presidio a setecientos cincuenta y tres».

En 1760 hubo un auto de fe contra indios «ilusos, supersticiosos, brujos, hechiceros, etcétera, que fueron aprehendidos en unas cuevas junto a Yautepec».

El jurista malagueño José de Gálvez (1729-1787) fue enviado a la Nueva España como visitador y el virrey, marqués de Croix, tuvo que cooperar absolutamente con él en la expulsión de los jesuitas decretada por el rey de España, en 1767. Esa medida provocó numerosas revueltas, sobre todo en San Luis Potosí, Guanajuato y Michoacán. Gálvez personalmente disolvió esas rebeliones, ejecutando a ochenta y cinco de los aprehendidos y sentenciando a diversas penas a otros ochocientos cincuenta y cuatro acusados. He aquí diversos datos provenientes de su *Informe sobre las rebeliones populares*.

En el mineral de San Pedro, en San Luis Potosí, surgió un motín provocado por la publicación de dos bandos reales, uno de ellos sobre la prohibición de armas, vinculado a la expulsión de los jesuitas, y otro «para el recogimiento de vagos, de que están llenos los reales de minas. Al oír las dos providencias tan justas como precisas, apedrearon los serranos al teniente de alcalde mayor». Agrega que fue necesario hacer fuego y matar a algunos de los rebeldes, pues no pudieron hacerlos desistir ni las exhortaciones de los religiosos «ni la divina presencia del Santísimo Sacramento que sacó el comendador de la Merced, arrebatado del religioso celo que le salvó de un flechazo con que le pasaron el escapulario y de una pedrada que le dieron en la boca, teniendo el viril [la custodia] en las manos. A estas sacrílegas y atroces ofensas contra la majestad divina y a las execrables blasfemias con que los rebeldes insultaban la humana de nuestro augusto soberano, añadieron otros gravísimos delitos, como abrir la cárcel, poniendo en libertad a muchos reos facinerosos».

Gálvez condenó a la horca a nueve alzados, previniendo que sus cabezas se pusieran sobre picotas «para que en ellas y hasta que el tiempo las consuma, sirvan a los demás de memoria y escarmiento, como también las ruinas de sus casas, que se destruyeron y sembraron con sal. Y destiné otros treinta y nueve reos a presidio perpetuo y otros cinco a destierro».

En el pueblo de San Nicolás condenó a muerte a once de los principales reos y, entre ellos, «fue descuartizado después de muerto el gobernador indio Atanasio de la Cruz y su cuerpo dividido se puso en el sitio que ocupan las casas de comunidad», mismas que se derribaron porque en ellas se habían celebrado juntas con otros amotinados y se habían escrito muchas cartas «con la sacrílega expresión, en una de ellas, de no dejar las armas 'hasta hallar la nueva ley y fe que buscamos' y acabar con todos los gachupines, motivo porque mandé también poner la mano del escribano que lo fue de dichas cartas en una picota y privé a aquel pueblo de que pudiese tener gobernadores ni oficiales en lo sucesivo».

A doce más condenó a la pena capital y siete a doscientos azotes y destierro por tiempo limitado. A otro lo ahorcó por sedicioso, «pero atendida la gravedad del delito de blasfemo, mandé que después de separada la cabeza de su cuerpo para ponerla en una picota, se quemase el cuerpo y se diesen al viento sus cenizas, esto con el fin de contener y escarmentar a los muchos blasfemos y sacrílegos detractores que se oyen en este tiempo».

El cabo de alabarderos José Gómez Moreno (1732-1800), granadino, estuvo abocado a la custodia del virrey. Sacristán de su agrupamiento y célibe toda su vida, murió tullido. Durante el gobierno de Revillagigedo, de 1776 a 1798, escribió su *Diario curioso y cuaderno de las cosas memorables en México*. Entre las numerosas noticias que aporta, destacan por su frecuencia las ejecuciones públicas y otros castigos aplicados a diversos criminales: asesinos, ladrones, alcahuetes, violadores y bígamos, entre otros. Los primeros castigados en ese gobierno fueron cinco hombres, dándoles doscientos azotes a cada uno por varios delitos.

Tiempo después, de la cárcel de La Acordada sacaron, para ajusticiarlo, al famoso capitán de bandoleros Pillo Madera. Este ladrón tenía asolado al obispado de Puebla; le «fue dado garrote y arrastrado y encubado, y a la tarde lo metieron de cuerpo entero en un cajón y lo llevaron a Puebla, donde se había de colgar en la horca veinticuatro horas, y después en un palo hasta que se consumiera naturalmente». Debía siete muertes y veintiocho asaltos, pero su más infame delito fue haber matado a su mujer estando encinta. Cabe recordar que la muerte por garrote consistía en ir apretando varias sogas alrededor de la víctima sentada, haciendo girar un palo o garrote que las tensaba, hasta matarlo.

El 24 de octubre de 1789, «amaneció la mayor novedad y desgracia que se ha visto, y fue que en su propia casa mataron, por robarlo, a don Joaquín Dongo y a un cuñado suyo y a nueve criados que tenía: cinco hombres y cuatro mujeres. Mayor espectáculo no se ha visto ni se lee en historias». Sacaron de la cárcel a los asesinos —dos vizcaínos y un canario— para ajusticiarlos y los llevaron por la calle de los Cordobanes; salieron en «mulas enlutadas» y ellos también enlutados, y «les echaron pregón y les tocaron clarín, y luego los trajeron a la plaza, en donde estaba un tablado con sus tres asientos, en donde les dieron garrote». Luego que los bajaron, los llevaron a la cárcel y allí les cortaron las manos derechas: la de Quinteros la pusieron en la accesoria donde vivía y donde se encontró el dinero robado, y las de Aldama y Blanco en la casa de Dongo.

En diciembre de 1789 se cortó la mano al cadáver de José Castillo que había estado en la picota, debajo de la horca en la plaza, desde enero del año anterior, que fue cuando lo ajusticiaron.

Un soldado de caballería del regimiento de México, llamado José Palacios, fue sacado de la cárcel para cumplir su sentencia: lo llevaron a la plaza de Tenexpa, donde estaba puesta la horca, «que era nueva de pie de gallo, de lo más feo que se ha visto, y fue la primera vez que en dicha plazuela se hizo justicia».

Otros seis hombres fueron ajusticiados con garrote y ese mismo día «encapillaron a un soldado del regimiento fijo de México para arcabucearlo».

Hubo un consejo de guerra para enjuiciar a tres *dragones,* resultando sentenciado uno a la horca y dos «a seis carreras de banquetas y diez años de presidio». Desde 1790, las ejecuciones tenían lugar en la plaza de Nuestra Señora de Loreto, «donde se puso la horca de firme».

A un hombre se le ahorcó porque robó la lámpara de la iglesia de la Santísima. A otro que recibiría igual castigo se le rompieron «los mecates y cayeron él y el verdugo al suelo, y después lo pusieron en un palo y le dieron garrote ya casi muerto, accidente que no había sucedido». Algunos reos fueron ejecutados en la plaza de Pacheco, enfrente de la pulquería de Mixcalco.

«Sacaron de la cárcel de corte a cinco hombres encorazados por estar casados dos veces, porque ya entiende la justicia ordinaria en estas causas, y fueron las primeras que castigó la sala del crimen.» Una mujer fue emplumada por «alcahueta, y la pusieron en un tablado donde estuvo hasta las dos y media de la tarde». Otro fue ahorcado, «descuartizado y encubado».

El 27 de septiembre de 1790, en los corredores de palacio, un soldado encontró un *tompeate* y hallaron en él una calavera y «un memorial para el señor virrey, en que le participaban de un hombre que se hallaba en un cuarto encerrado y en un cepo, con riesgo de la vida, y que en cierto paraje estaban enterrados tres cuerpos, que los habían matado».

En la plaza de las Vizcaínas ahorcaron a un soldado de la Corona por «ladrón sacrílego» y a otro en la plaza de Juan Carbonero, «por haber robado a su capitán». En el convento de San Francisco, en la cocina, un galopín mató al cocinero mayor a puñaladas.

Asimismo, en Vizcaínas ahorcaron a otro soldado, y después de haberlo descolgado y llevado al cuartel, volvió en sí, «por lo que lo olearon y bebió agua y le dieron unos espíritus, y estuvo vivo hasta la una del día en que murió. Pero si hubiera vivido, ya estaba dada la orden por el virrey, para que lo volviesen a llevar y lo ahorcasen».

Trajeron desde Querétaro a un muerto envuelto en un petate, que en una hacienda mandó matar su amo a azotes; la mujer del difunto lo puso en un burro, lo trajo a esta ciudad y «se presentó al señor virrey, el que mandó al corregidor que le embargase al dueño sus bienes y que lo despachara preso. El muerto llegó aquí apestando y cayéndosele los pedazos de carne». Se le enterró en San Lázaro.

En Mixcalco ahorcaron a un hombre, pero se rompió la cuerda y cayó vivo; se informó al virrey y mandó que «lo volvieran a subir a la horca y que lo ahorcaran, y que si vivía le tiraran un trabucazo con que muriera».

El franciscano español José Joaquín Granados y Gálvez (1734-1794), corista, en sus *Tardes americanas* escribe, acerca del virrey marqués de Croix y de la rebelión que sofocó, que el motín popular ponía en «inexcusable desamparo» a las familias y a sus intereses; el pueblo saqueaba los almacenes, destrozaba las tiendas, «violaban a las casadas, estupraban a las vírgenes y hasta las imágenes soberanas de su Majestad, grabadas en los lienzos, llegaron a borrar, con el desacato más inaudito, inhumano y horroroso. Estas violencias y desafueros fueron el despertador (así lo dispuso el Cielo) de la emplazada crueldad, traición y tiranía».

La represión no se hizo esperar: «Con casi noventa cuerpos de los impíos y traidores, se llenaron las horcas de miedos, las escarpias de sustos y los caminos, calles y plazas de los pueblos de horrores y de espantos, dejando tan destrozados espectáculos aviso a los presentes y escarmiento a la posterioridad».

Veamos el panorama general que ofrece el español Hipólito Ruiz de Villarroel (1720?-¿), «justicia mayor» de Cuautla, asesor del juez de La Acordada, conflictivo, solitario y amargado, lo cual se nota en su libro *Enfermedades políticas que padece la capital de esta Nueva España.* Nuestra ciudad era, a sus ojos, un centro descomunal de todos los males, «cloaca general del universo, receptáculo de hombres vagos, viciosos y mal entretenidos, albergue de malhechores, lupanar de infamias y disoluciones, cuna de pícaros, infierno de caballeros, purgatorio de hombres de bien, donde se alberga la gente soez, hombres y mujeres sucios y asquerosos que son la abominación de los demás por sus estragadas vidas y costumbres, abrigo de cuantas castas de vicios son imaginables».

Cuando se refiere a los coches (por supuesto, de caballos) y al salvajismo de los conductores, algo nos recuerda al siglo XXI: «Lo más cierto es que son criados de ministros y de otros personajes. ¿Cuándo se ve que haya un ejemplo que escarmiente a los demás? Todo se pasa y todo se disimula porque vivimos en un país donde los potentados son el verdadero azote de la justicia».

El fraile capuchino Francisco de Ajofrín (1719-1789), manchego, en su *Diario del viaje a la Nueva España,* observa que en un camino cercano a la ciudad de Guanajuato había muchas cruces señalando «las muertes que hacían los ladrones por robar el oro y la plata que sacaban de la ciudad; pero la justicia limpió los caminos de esta mala gente, ahorcando a muchos en los mismos sitios donde hicieron las muertes y robos».

El fraile franciscano catalán Pedro Font (1738-1781), docto en geografía y matemáticas, acompañó al capitán De Anza en su segunda expedición a Baja California, encargado de labores cartográficas. Asegura en su *Diario íntimo* que «así como la sierra de California, por infructífera y pedregosa, parece el basurero del mundo, así los indios que la habitan son la escoria del género humano». Por ello no se alarma ante los latigazos que recibieron unos indios rebeldes, y «fueron los azotes tales, que uno murió de ellos y otro quedó muy malo». Como sanguinaria advertencia, a algunos presos les dieron, «por bienvenida», cincuenta azotes a cada quien; a uno sucedió «apostemársele las nalgas, las cuales tenía negras y horrorosas».

Denuncia que algunos españoles compraban niños indios cautivos como esclavos, «ignorando que los indios nacen libres y que sin duda tienen mejor y más limpia sangre, que sus mercedes españolas de medio color».

Es interesante anotar —con Francisco Sedano— que en aquellos años existía el llamado asilo eclesiástico, en el cual se amparaban muchos delincuentes «a quienes valía el sagrado en cualquier iglesia a que se acogían». En 1774 se redujo a sólo dos templos y «después se providenció que las mujeres no tomasen asilo en dichas iglesias, sino en la parroquia de Santa María, para que no estuviesen juntas con los hombres».

En 1794, el francés Juan María Murgier, preso en la Santa Inquisición, «desesperado, se mató echándose sobre una espada, traspasándose el corazón». Al año siguiente, en auto de fe, «fue juzgado y relajado en estatua por hereje, juntamente con su cuerpo, y éste con la estatua fue quemado en el brasero de San Lázaro».

Aunque esta última noticia no es de sangre humana sino canina, valga mencionar que en 1792, «por orden superior, se mandó a los serenos guarda-faroles» que mataran a los perros callejeros de esta ciudad, pagándoles a cuatro pesos el ciento. Mataron gran cantidad, «hasta casi exterminarlos, y no bastando esta primera providencia, al presente todavía los matan de noche».

SALVAJISMO EN LA CONQUISTA DEL NOROESTE

El militar español Domingo Elizondo, coronel de caballería, escribió un informe al virrey Bucareli *(Expedición contra los seris y pimas)* que incluye no sólo a las dos etnias que el título menciona sino a otras más, sobre todo a los apaches. La ambición conquistadora —más que evangelizadora— en Sonora obligaba a llevar a cabo cruentas campañas contra los pobladores originarios, indios seminómadas que acostumbraban quitar la cabellera a los enemigos muertos y hasta heridos y con frecuencia utilizaban flechas envenenadas.

El salvajismo estaba presente en ambos bandos y esa guerra de exterminio rara vez perdonaba a mujeres o niños. En una acción de armas —poco después de una borrachera fenomenal de setecientos pimas y seris—, el capitán Anza «no logró más ventajas» que matar cinco indios, un muchacho de quince años y dos mujeres, con una baja de su parte; rescató a un jovencito que hacía meses habían capturado los indios, quienes a veces apresaban niños para criarlos con ellos. En otro encuentro, el mismo militar «logró matar dos indios y dos mujeres apaches disfrazadas de hombres, con sus arcos y carcajes». El capitán Urrea mató once hombres y siete mujeres y apresó catorce niños y niñas. Otros rebeldes mataron a una mujer y un niño, «y lleváronse a una niña». El capitán Bergosa atacó una ranchería de indios piatos, logrando matar veintitrés personas de ambos sexos y apresar tres mujeres con ocho criaturas. «El más bizarro de los indios lo acreditó en su bárbara defensa, pues hecha pedazos la canilla de una pierna de un pistoletazo, sosteniéndose sobre la otra, flechaba con el mayor ardor, de modo que hirió a dos soldados y a otro dragón le atravesó el pecho de un fusilazo y cayó muerto». El capitán Peirán atacó una aldea seri en la costa, muriendo varios hombres y mujeres, algunos ahogados al intentar huir. En el contraataque murieron varios españoles y numerosos indígenas aliados suyos; en Ónavas mataron a cinco mujeres e incendiaron casas, en Nacimiento una mujer y una niña y en Carrizal se llevaron cautiva a una niña española. Fue rescatada una mujer «después de haberla desnudado los bárbaros» y «una cautiva de razón». Pocos antecedentes tan sanguinarios como el del gobernador Juan de Mendoza, quien encabezó personalmente el ataque a las rancherías de Bacuachi, «cruel lance donde mató como a cien personas; pocos hombres, algunas mujeres y los más niños, pues ordenó que no se reservase ni a los párvulos».

Desde los primeros avances españoles hacia el noroeste, en el siglo XVI, el derramamiento de sangre era la constante; ya en el XVIII, la situación no había cambiado. En 1742, el gobernador de Sonora y Sinaloa, Agustín de Vildósola, escribía que los apaches «en estos últimos días han robado y ejecutado más muertes que en muchos años precedentes, horrorizando al vecindario con sus entradas a donde jamás había aullado su audacia; repetirán orgullosos sus infames y lastimosos hechos».

Pedro Tamarón reconocía que la caballería española, al bajar de su montura para combatir a pie, quedaba en desventaja ante el enemigo indígena, «superior por la agilidad de sus movimientos» e inclusive por «la destreza en dirigir sus tiros».

«Para abatir el insolente orgullo de tan crueles fieras y sujetar la arrogancia con que están», el rey ordenó en 1764 una expedición militar definitiva, que sí dio frutos pero no todos los que se esperaban. De hecho, no es hasta el Porfiriato cuando se puede considerar plenamente pacificado el norte del país, sobre todo por lo que respecta a los apaches. Éstos atacaban «sin perdonar en los racionales edad, sexo ni estado, pues todos eran lastimosas víctimas de su cruel atrocidad», hasta que llegaron «al cielo los vapores de tanta sangre inocente y el clamor a los piadosos oídos de nuestro incomparable soberano».

Las autoridades españolas tenían el objetivo expreso (no implícito, sino explícito) de exterminar a los pueblos indígenas hostiles y lo flexibilizaron no por consideraciones humanitarias sino prácticas, pues se dieron cuenta de que era más factible su rendición y sometimiento que su aniquilación: «Atendiendo a las crueles muertes y robos que estos bárbaros han cometido inhumanamente, parecía preferible exterminarlos con las armas para cortar la reincidencia en la culpa». «Se pensó siempre lograr el deseado fin de exterminar o reducir a los enemigos.» «Conseguir por este, aunque largo método, la extinción de los enemigos.» «Ver si viéndose hostigados, soliciten el perdón, porque para exterminarlos se requiere mucho tiempo.» En efecto, el visitador José de Gálvez ofreció el indulto a los seris y pimas que se rindieran, con la amenaza de que «a ninguno de ellos se dé cuartel ni perdone la vida, aunque para extinguirlos sobran fuerzas» (lo cual no era totalmente cierto).

La defensa de los indios tenía también aspectos psicológicos: «Los enemigos, con petulante orgullo, recibieron a la tropa con su acostumbrado alarido y una copiosa descarga de flechas». Practicaban asimismo otras formas para atemorizar a los españoles; a un soldado que se defendió de manera bravía «le cortaron las manos y la cabeza, y después lo colgaron por los pies». Otro fue atravesado por el pecho con una flecha que, «saliéndole por la espalda, siguió su dirección como veinte pasos. Fue tan cruel la herida, que en cuanto pronunció: 'Fusileros, pie a tierra y fuego a esos perros', quedó sin habla y al instante expiró».

En esa prolongada guerra hubo de todo: indios aliados de los españoles, muertos por error con «fuego amigo»; un cura prófugo asesinado por los rebeldes; un gobernador con «apoplejía y perlesía»; incendio provocado en un bosque para atrapar indígenas armados; indios prisioneros que servían como guías a los españoles en contra de sus pueblos; en fin, «placeres» de oro en Sonora tan abundantes, que hallaban el metal «sin más trabajo que hacer hoyos de tres o cuatro palmos de profundidad». Se llegó a encontrar, cerca de Álamos, un grano de oro de 3.680 kilogramos de peso y 22 kilates de pureza.

El jesuita austriaco Juan Nentuig (1713-1768) fue más de dos décadas misionero en Sonora; en referencia a los indios seris, señala en su obra *El rudo ensayo* que, no obstante que los soldados españoles mataron en un par de meses a «cuarenta gandules y cautivado entre mujeres y niños a más de setenta, andan los indios tan soberbios que no han abrazado ningún partido que se les ha ofrecido». Y agrega, con frialdad, una recomendación: «Siendo vasallos de su Majestad y delincuentes apóstatas e incorregibles, que no quieren ser buenos ni útiles sino obstinadamente perjudiciales a su real servicio, que se les haga por fuerza servir en algo, aunque sea repartiéndolos al remo de las reales galeras».

Los requisitos de los indios ópatas para iniciarse como guerreros probablemente no estimulaban la vocación castrense: al nuevo guerrero se le arañaba profundamente con la pata seca y dura de un águila, desde los hombros hasta los muslos y piernas, «y ha de ser de modo que salga la sangre».

Los ópatas y los eudebes «suelen traer una mano cortada al enemigo muerto y baten con ella su pinole, y aun solían convidar a los españoles con dicha bebida».

El sacerdote alemán Ignacio Pfefferkorn (1725-¿), misionero jesuita, escribía en su *Descripción de la provincia de Sonora* sobre los excesos etílicos de algunos indígenas en cierta festividad: «El día siguiente les dirigí una aguda reprimenda y les expliqué lo horrible de este comportamiento anticristiano. En seguida los autores de la orgía recibieron un premio bien ganado que les fue pagado con el látigo del justicia de la villa».

Varios misioneros del noroeste mexicano fueron muertos a flechazos por los indios, entre ellos el padre español Tomas Tello que estaba en Caborca y el padre Henrich Ruhen de Sonoíta. «Yo tuve la fortuna —dice el jesuita— de dar sepultura a los restos de este último, después de seis años que habían permanecido insepultos, todavía con su cráneo manchado de sangre. Después de esto, los indios me descubrieron otros cuerpos de españoles a quienes también di sepultura.»

Sobre los apaches y los seris —éstos temidos por sus flechas envenenadas—, el sacerdote señala que por muchos años asolaron Sonora con crueldad, asesinando o capturando a un gran número de españoles, así como a indios conversos, robando innumerables caballos, mulas y ganado y cometiendo toda clase de devastaciones. «Aunque se desalientan si se les ataca firmemente, los indios son crueles e inhumanos si perciben miedo y debilidad en el oponente. Se les olvida entonces el significado de la piedad y de lástima y se deleitan con los más horrendos actos de sangre y asesinato.»

La costumbre era quitar la cabellera a sus enemigos derrotados y llevársela como trofeo. Para quitarla «cortan la frente de la infortunada víctima y meten los dedos de la mano jalando piel y cabello; al hacerlo no les importa si el infeliz adversario está vivo o muerto: si cae en sus manos debe perder la cabellera». No obstante, reconoce que los apaches «son los indios más pulcros en la Nueva España y nunca se les ve desnudos».

El ingeniero militar español Nicolás de Lafora (1730-¿) fue comisionado por el virrey para acompañar al mariscal de campo marqués de Rubí en la inspección que realizaría a los llamados presidios internos del norte: fue un recorrido de más de doce mil kilómetros a caballo, con casi dos años de duración; llegaron hasta Chihuahua y Nuevo México. Sobre ese encargo, escribió una *Relación de los presidios de la América septentrional.*

Una constante era el peligro en aquellas provincias por los ataques de indios, principalmente apaches, comanches, seris y pimas. Robaban ganado, asaltaban a los viajeros y en ocasiones a pequeñas poblaciones. En Chihuahua había muchas minas de plata que no se trabajaban por temor: «Familias de españoles, mestizos y mulatos están pereciendo por la total decadencia de las minas y continuas hostilidades de los indios, que han acabado con las muladas y caballadas, y han hecho muchas muertes en sus inmediaciones». En Sonora, «se ven quemadas las casas del pequeño pueblo de San Lorenzo, cuyos habitantes, gente de razón, perecieron la mayor parte entre las llamas y a manos de los seris, que lo incendiaron años ha».

La etnia de los apaches tenía diversas denominaciones, según la región; les decían gileños, garlanes, chilpaines, xicarillas, pharaones, mezcaleros, natages, lipanes, etcétera. «Varían poco en su idioma, nada en sus armas que son arco y flecha, ni en la suma crueldad con que tratan a los vencidos, atenazándolos vivos y comiéndose la carne que les arrancan, flechándolos, y finalmente, ejecutando cuantas crueldades son imaginables, habiendo llegado repetidas veces el caso de abrir vivas a mujeres encintas, y sacándoles las criaturas, azotarlas con ellas, hasta hacerlas expirar.

»Su traje regular es en cueros, con un taparrabo, y se tiñen el cuerpo y la cara de distintos colores con el zumo de varias yerbas, especialmente cuando entran de guerra, y adornan sus cabezas con unos bonetes guarnecidos de plumas de diferentes maneras, a que añaden unos cuernecitos a veces verdaderos y otras figurados, todo con el fin de amedrentar a sus enemigos.»

Las armas de los indios eran arco y flecha, lanzas y algunas escopetas. Las de los españoles eran principalmente lanzas, «que manejan perfectamente»; no tanto la escopeta, por la escasez de pólvora que había «y que adquieren a sus expensas los soldados con mucho costo y trabajo; así llevan muy pocos tiros cuando salen a campaña, perdiendo en esto la ventaja del arma de fuego, cuyo respeto mantiene el equilibrio en la disparidad del poco número de nuestra gente, con el infinito de tantas naciones infieles».

Fray Francisco Garcés (1738-¿), misionero franciscano, escribe en su *Diario de exploraciones en Arizona y California* sobre las alianzas establecidas entre los españoles y los pimas: «Llegaron muchos indios a caballo, los que se apearon para saludarnos, y presentaron a los soldados dos cabelleras de apaches que mataron pocos días antes, con los que tienen grandes guerras. Preguntaron repentinamente si íbamos ya a vivir con ellos y a bautizarlos, lo que me pareció señal de la gran disposición que hay en estas gentes para el catequismo».

En un ataque de indios seris, piatos y apaches a Magdalena, el padre Pedro Font confesó «a una mujer preñada que estaba muriendo de las lanzadas, la que murió con una criatura suya que tenía las tripas de fuera».

A lo largo de los caminos se encontraban cruces señalando los lugares donde habían muerto algunas víctimas de ataques indios. Al padre Luis Jaume lo desnudaron y saetearon, «clavándole en el cuerpo más de veinte flechas», y luego con palos y piedras «le machucaron la cabeza y cara, de modo que sólo se reconocía por lo blanco del cuerpo» y la tonsura.

Fernando Ocaranza (1876-1965), médico militar nacido en la ciudad de México, director de la Facultad de Medicina y rector de la Universidad Nacional Autónoma de México, participó en la llamada guerra del Yaqui, en pleno siglo XX; es probable que ello influyera en su ánimo para escribir unas *Crónicas y relaciones del occidente de Mexico*. Numerosos poblados de Sonora quedaron deshabitados o redujeron de manera sensible sus habitantes a causa de los ataques indios, entre ellos Soamca y Cocóspera («sus miembros fueron sacrificados en mayoría por los apaches, que destruyeron también casas e iglesias»), Huevavi y Sonoitac («pasado a degüello más de la mitad del pueblo por los implacables apaches»), Imuris («por las repetidas irrupciones del mismo enemigo»), Busani («liquidado por los apaches, en cuya operación entraron los seris»), Saracachi («aniquilado completamente»), Soledad («arruinada por los pimas»), San José de Gracia y dos haciendas («sacrificadas por los seris»), Bacachi («unos cuantos escaparon de la furia de los apaches»), Cuchuta y Turicachi («desaparecieron, no escaparon de las manos de los apaches»), Teópari y Satachi («liquidados completamente»), San Ildefonso («nadie se atrevía contra la fiereza de los indios»), Sahuaripa («acometida por los apaches constantemente»), en fin, Sonoita («que arrasaron por completo»).

Como se puede ver, los ataques de los apaches no se limitaban a rancherías y haciendas, sino que asolaban pueblos enteros y muchos «reales de minas» dejaron de explotarse por ese peligro inminente. Su osadía los llevó a asaltar fuertes o «presidios», como el de Santa Cruz, donde murió la mayor parte de la guarnición, y el de San Bernardo, donde perecieron más de cincuenta soldados. Ello «aumentaba la soberbia de los bárbaros y amenazó la destrucción total» de esas provincias. «Todos los rumbos estaban amenazados, hostilizados por los crueles apaches y los pérfidos seris; recelaban también de los pimas y hasta de los fieles ópatas, para colmo de su desgracia.»

Los frailes no estaban libres de tales riesgos, «el peligro de perder la vida era común para todos, continuaba la muerte para muchos cristianos y una gran pobreza general». El alcoholismo entre los indios, fomentado por los comerciantes españoles, fue factor para un mayor empobrecimiento, «por las consecuencias de la embriaguez y los vicios colaterales».

En el *Diario de viaje, 1789-1794,* del navegante italiano Alejandro Malaspina (1754-1810), quien explorara el Pacífico a partir de Acapulco, por cuenta de la Corona española, también se incluyen noticias sobre las llamadas provincias internas, como éstas acerca de Sonora: «Los seris, igualmente que los apaches, deben considerarse como unos enemigos crueles que la han destruido y aniquilan, de suerte que son muy pocos los poblados en que se trabajan las minas. Todos estos naturales tocan las puntas de las flechas con veneno, y para curar las heridas chupan la sangre de ellas, por cuya causa muchas veces sigue a la muerte de los heridos la de los curanderos».

COSTUMBRES INSÓLITAS DE LOS INDIOS DEL NOROESTE

En adición a la costumbre guerrera de muchos grupos indígenas del norte, sobre todo los apaches, consistente en quitar la cabellera a los vencidos vivos o muertos —como ya vimos en el capítulo anterior—, ahora presentamos otras prácticas que también llaman la atención.

El jesuita alemán Juan Jacobo Baegert (1717-1777) permaneció diecisiete años en la misión de San Luis Gonzaga, en Baja California Sur, la más aislada de todas, ya que se encuentra fuera de las rutas habituales, incluso hoy en día. En sus *Noticias de la península de California* informa que los guaicuras fracturaban la columna vertebral de sus muertos para poderlos enterrar «enroscados como una bola» y, para «patentizar su amor y su cariño hacia un difunto, se golpean la cabeza con piedras filosas y puntiagudas, hasta que la sangre les corre por los hombros».

Asimismo, cuando la autoridad castigaba con azotes a algún indio, la madre prorrumpía «en lamentaciones, alaridos como de una furia infernal, se arrancan los cabellos, se golpean el pecho desnudo con una piedra y se hieren la cabeza con un hueso o madero puntiagudo, hasta que la sangre corre a torrentes, de lo que he sido testigo no sólo una vez».

Aunque la influencia del padre Francisco Garcés sobre los indios de Sonora era mucha, en todo caso no podía evitar algunos problemas, como una gresca sucedida durante un «baile desmedido: a mediodía oí grandes lloros, gritos, y corridas», pues un indio había herido de flecha a otro de diferente tribu, de tal modo que «se tocaba el pedernal cerca del corazón, habiéndole entrado por la espalda y quedado dentro parte de la jara; determinaron abrirle por delante, martirizándolo por segunda vez». El hechicero hizo su trabajo: correr, soplar y dar vueltas. Los amigos del herido querían matar a un joven del grupo opuesto y otros llegaron a defenderlo, «con que se pusieron a pelear todos de a montón. Los viejos tiraban las flechas y los muchachos entraban a coger las que tiraban los contrarios. No hubo más desgracias que el haberle dado a uno de palos».

El marino Alejandro Malaspina, italiano al servicio de España, apunta en su *Diario* que los seris «no consideran que las necesidades corporales de la vida finalizan con la muerte, pues entierran a los muertos con cuanto pueden proporcionarles de sustento y ropa, echándolo todo en un hoyo, y aun las madres continúan regando por algunos días el de los párvulos con la leche que extraen de sus pechos».

Fray Pedro Font relata que un jefe indio castigó a un ladrón con golpes en la mano y «al tercer azote le hizo saltar la sangre, por lo que luego lo contuve, pues según el fervor con que empezó lo hubiera desollado».

Un indio mató a una mula del comandante De Anza, para «carnearla»; perseguido por otro para castigarlo, huyó, pero «ya que no pudo matarlo a él, mató a su mujer de un flechazo, con que le había pasado el corazón. No sé si este caso prueba que es leal o carnicero, pues de uno y otro tiene visos».

El jesuita Juan Nentuig, austriaco, nos deja ver a las mujeres apaches amazonas: «El vestido, de gamuza, se reduce a unos mantelitos muy cortos, ajustados al cuello, y llegan mal a cubrir los pechos; las naguas de lo mismo no llegan sino desde la cintura a las rodillas. Son tan buenas jinetas que brincan en un potro, y sin más rienda que un cabrestillo».

El jesuita español Miguel del Barco (1706-1790), quien «misionó» treinta años en la península de Baja California, escribió una *His-*

toria natural y crónica de la antigua California, oro molido para antropólogos y otros especialistas. Acerca de los indios «californios», dice que no se lavaban con agua aunque sudaran y anduvieran en el polvo; «suelen estar notablemente inmundos. Pero si se lavan, puede decirse que aún es peor, porque se lavan con agua caliente que recientemente sale de la fuente natural de cada uno». Semejante higiene la acostumbraban hombres y mujeres y algunos la usaban con frecuencia. En una ocasión, hablando con un anciano, advirtió que, aunque tenía bastante limpias las inmediaciones de la boca, de las narices y ojos, todo lo demás estaba no solamente sucio, sino «con una costra negra de inmundicia. Por eso le dije: '¿Por qué no te lavas esa cara tan sucia?' Respondió: 'Todas las noches me lavo, cuando me voy a acostar'. Sonreíme con la respuesta, y le pregunté: '¿Pues con qué te lavas? ¿con orines?' Y respondió con gran sencillez: '¿Pues con qué más?' Se dice que este lavatorio es muy provechoso para los ojos y acaso sirve mucho para la perspicacia de vista que suelen tener».

Esa información la confirma el padre Baegert: «Siguen todavía con la asquerosa práctica de lavarse con orina, lo que a veces se nota cuando se acercan mucho a uno en el confesionario».

Por su parte, el padre Pedro Font confiesa un dato que revela que la higiene española no era muy diferente de la indígena, cuando se padecía el extremoso calor del verano sonorense; relata que otro misionero reconocía que «estos días pasados me he abrasado de calor, tanto, que me he bañado ya algunas veces...»

Del Barco da a conocer la siguiente rara costumbre de algunos pueblos de Baja California Sur, que vivían de la recolección, la caza y la pesca: *la segunda cosecha de pitahaya,* que podríamos calificar de escatológica. Como esta jugosa fruta tiene unas pequeñas semillitas negras que mucho apreciaban los indios, pero son muy difíciles de separar de la pulpa, entonces inventaron un ingenioso procedimiento para aislarlas y poderlas disfrutar. Se comían las pitahayas silvestres —que, en su temporada, sólo de eso se alimentaban familias enteras— y luego tenían un lugar previsto para deponer; «para mayor limpieza», ponían en aquel sitio piedras o yerba a fin de que los detritus no se ensuciaran con tierra o arena. Tiempo después, ya seco aquello con el fuerte sol, lo recogían las mujeres y en unas bateas lo pulverizaban con las manos, zarandeándolo para separar las semillas del polvo fétido, «sin que esta operación les causase más fastidio que si anduvieran sus manos entre flores»; las semillas, no menos pestilentes, eran molidas para comer esa harina. Divertido, cuenta Del Barco que el padre italiano Francisco María Píccolo recibió como regalo algo de harina y la saboreó con placer, sin saber lo que era, lo cual fue «materia de diversión» entre sus colegas jesuitas.

Acerca de los hábitos culinarios de aquellos indios, resalta que comían las vísceras sin lavar de los animales que cazaban; lagartijas enteras, con sus entrañas sin abrir; minúsculos insectos que encontraban al espulgarse entre sí, asimismo iban a parar a su boca.

Pero la más extraordinaria degustación requería de mayores preparativos: ataban un bocado de carne con un largo cordel y así lo masticaban y tragaban. Luego, ya en el estómago, lo jalaban lentamente hasta sacarlo y lo volvían a masticar y tragar, repitiendo esta operación tantas veces como la dureza de la carne lo permitiera, hasta que sacaban el cordel solo. También acostumbraban realizar este procedimiento con pulpo.

DELITOS, PECADOS Y FANATISMO DEL CLERO

De acuerdo con Julio César Montané, algunos clérigos del siglo XVIII sonorense estuvieron involucrados en el «pecado nefando» y en otro más raro aún: un «religioso de los descalzos del señor San Francisco consta haber cometido ambos crímenes, nefando y bestial, con cuarenta personas, poco más o menos, y con tres o cuatro mulas y dos o tres gallinas». La respuesta de las autoridades del rey a esta denuncia fue un *carpetazo,* pues se recomendaba que «no se entrometiesen en esas materias ni entrasen en tales negocios».

En el poblado minero de Álamos, un agraviado acusó al padre José González del Pozo de que «lo había solicitado para la ofensa de Dios en el pecado nefando».

De las críticas opiniones de Hipólito Villarroel acerca de las perversiones en la ciudad de México no se salvan ni los clérigos, a muchos de los cuales considera petulantes, engreídos y codiciosos. Asegura que algunos indios lograron tener algún ganado, para que los curas «los disipen en juegos y otros destinos menos decentes. Casas de eclesiásticos hay que a título de su carácter mantienen juegos en ellas, donde con escándalo se pierden no pocos hombres y caudales. Cada clérigo es una racional sanguijuela».

Francisco Sedano asienta que, en 1731, en el convento capitalino de la Merced, el padre veracruzano Jacinto Miranda «dio muerte a puñaladas a su comendador el reverendo padre Gregorio Lacorte, e hirió malamente al padre maestro de novicios».

Francisco Ximénez, dominico, da cuenta de extraordinarios sucesos en Chiapas e incluye en su relato algunas referencias al fanatismo de los frailes (aunque, por supuesto, no lo llama así), como el caso de fray Pedro Mártir, cuya «dolencia paró en locura, aunque había sido siempre de tan buen juicio su seso como el de otro cualquiera, pero a todo esto está sujeta la naturaleza humana; pasó este pobre un año de martirio y finalmente acabó su vida, la cual fue tan buena y tan santa que no dudamos que esté gozando de Dios nuestro señor. No quería licencias por donde el demonio hallase puerta abierta para tentarlo. Fray Pedro Mártir era verdaderamente madre de todos nosotros, él nos cosía, nos remendaba y nos servía con sumo silencio y reverencia».

El franciscano mallorquino Francisco Palou (1723-1790) fue cercano amigo y discípulo de uno de los más grandes misioneros que vinieron a México; en su *Relación histórica de la vida y apostólicas tareas del venerable padre fray Junípero Serra,* nos da reveladoras luces sobre este personaje, cuya pasión cristiana (que hoy podría parecer patológico fanatismo) lo llevaba a atormentarse físicamente en público: en efecto, durante la misa, en el púlpito, con una cadena «cruelmente se azotaba al concluir el sermón con el acto de contrición»; o bien enarbolaba la imagen de Cristo crucificado con la mano izquierda, y cogía con la otra una piedra con la que se daba en el pecho «tan crueles golpes, que muchos del auditorio recelaban no se rompiese y se cayese muerto».

Acostumbraba también, para conmover más a los fieles, principalmente «en los sermones de infierno de la eternidad, de otra inventiva bien pesada, lastimosa y peligrosa»: solía sacar una gran vela de cuatro pabilos encendida, a fin de que los oyentes «viesen el alma en pecado o de condena y concluía abriéndose el pecho (que al efecto tenía el hábito y túnica abiertos por delante) y a raíz de la carne apagaba la grande llama del hachón, deshaciéndose la gente en lágrimas, unos de dolor de sus pecados y otros de compasión del fervoroso predicador».

EROTISMO, PUDOR Y LUJURIA. HOMOSEXUALIDAD Y LESBIANISMO

El jesuita español Miguel del Barco hace numerosas referencias al vestido de los indios de Baja California o, mejor dicho, al desvestido: todos los varones, niños y adultos, andaban siempre totalmente desnudos. «Mas, ya que no se diferenciaban las naciones en el traje y el vestido, tenían alguna diversidad en el adorno que cada una usaba», como hacia Cabo San Lucas, donde adornaban toda la cabeza con perlas, «enredándolas y entreverándolas con los cabellos, que mantenían largos. Era para ellos el ver a uno de sus paisanos vestido, espectáculo de tanta risa como puede serlo entre nosotros el ver vestido a un mono».

Entre las mujeres, en cambio, por lo general «era grande el cuidado con la decencia necesaria, para defensa y reparo de la honestidad». Usaban una faldilla hecha con la fibra de una especie de palma, por todo traje; «el de los hombres es el mismo que el de los demás californios, y es el que sacaron del vientre de sus madres».

Otras costumbres nos transmite este meticuloso escritor, algunas de las cuales critica con acritud, como la poligamia. Las mujeres eran las que cuidaban del sustento de la familia, y traían a sus maridos las frutas y semillas recolectadas del monte, para tenerlos contentos. Porque una vez desechadas, cosa que dependía sólo del capricho y antojo de ellos, no hallaban fácilmente quién las admitiera. «Con esto los maridos estaban tanto más bien provistos y regalados, cuanto mayor número de mujeres tenían: haciendo de aquí el vivir envueltos en brutal carnalidad». Muy diferente era ese tipo confortable de poligamia comparada con la que todavía hoy subsiste en algunos países, donde los hombres pueden tener muchas mujeres, siempre y cuando sean capaces de ofrecerles sustento.

El jesuita alemán Juan Jacobo Baegert, con buen humor y filosofía, reflexiona con respecto a la desnudez de los indios de la misma región y a la ausencia de moradas —pues vivían al aire libre—, que «nunca tienen que temer incendios en sus casas, así como tampoco necesitan cuidarse de daños o de ladrones con respecto a sus ropas; nunca les resulta la levita angosta, ni el abrigo corto; siempre están listos, enjaezados y vestidos para cualquier negocio importante. Los californios no se pudren más pronto, después de muertos, de como se pudrirían si en toda su vida hubieran estado envueltos en seda y terciopelo».

Otras costumbres eran: las mujeres podían casarse a partir de los doce años, la poligamia, el intercambio de esposas durante alguna fiesta y los partos solitarios: «Tan pronto como el pobre niño viene al mundo, no encuentra otra cuna que dura tierra o una coraza de tortuga todavía más dura, en la que la madre lo carga, miserablemente envuelto».

Hacia el norte de California, había mujeres que andaban totalmente desnudas; en las demás regiones usaban una faldilla; «siempre han tratado de cubrirse un poco, pero los dos costados y todo el resto del cuerpo no quedan cubiertos con otra cosa que con su propia piel».

Otro jesuita, el austriaco Juan Nentuig, estudió a los pueblos indígenas sonorenses y muy valiosa es la información que nos legó al respecto, por ejemplo acerca de un matrimonio pima: «Las ceremonias de sus gentílicas bodas no son todas para poderse escribir; apuntaré las más decentes: ponen a los mocetones y mujeres casaderas en dos hileras, y dada una señal emprenden a correr éstas; dada otra siguen la carrera aquéllos, y alcanzándolas, ha de coger cada uno la suya de la tetilla izquierda y así quedan hechos y confirmados los desposorios».

El padre catalán Pedro Font escribe que, en la región hoy fronteriza entre Sonora y Arizona, los indios se cubrían «de medio cuerpo para arriba, dejando descubierto lo demás y las partes más indecentes, porque dicen que a las mujeres no les cuadra que se las tapen. Son tan deshonestos que siempre están con las manos en las partes vergonzosas, jugándose, y alterándose la naturaleza, y son tan brutos que si se les reprende lo hacen peor». Critica asimismo la costumbre que tenían de orinar caminando, la poligamia y otra más: «El obsequio que hacen a los huéspedes es darles mujer para que duerman con ella». Abunda Font con detalle, sin complejos escatológicos, en las agresivas flatulencias de esos indios.

El frío invernal mataba caballos y mulas y congelaba el contenido de las bacinicas. «Es cosa maravillosa ver a estos indios en pelotas, con los fríos que allí hacen.»

Entre señales de humo para comunicarse entre sí los pueblos indios y con ballenas varadas en las playas, como hasta ahora sucede, encontramos en la misión de San Luis a atractivas indígenas «que a más de buenas caras, tienen unos ojos bien rasgados, vivos y lucientes, negros y algo grandes; su color es entre oscuro y claro, agradable, limpias y aseadas, afables, motivo por el cual los soldados se desordenaron tanto con ellas cuando en estos contornos estuvieron…»

Un paisano y colega de Font, fray Tomás Eysarch (o Eixarch), informa que entre las indias, «cuando a una le viene su primera costumbre, o primer menstruo», la enterraban acostada en la arena, con la cara descubierta, y le cantaban y bailaban otras mujeres. Por su parte, los varones «son muy asquerosos y sin vergüenza ninguna; los más van como los parió su madre, sin taparse nada».

Font observaría, hacia 1776, que los indios del río Colorado «en punto de incontinencia son tan deshonestos y excesivos, que no creo haya en el mundo otra nación que les gane: las mujeres casi se puede decir que son comunes» y las prestaban con generosidad a los visitantes que querían agasajar. Entre ellas vio a hombres vestidos con atuendo «mujeril, amaricados o maricas, sodomíticos dedicados para el ejercicio nefando».

El alabardero José Gómez escribe que, en 1794, salieron desterrados, por orden del virrey, un capitán, hijo del marqués de Uluapa, y un teniente, «por haberse sacado a dos niñas hijas de don Antonio Velasco y haberlas tenido toda la noche con ellos». El capitán fue enviado preso al fuerte de San Diego, en Acapulco, y el teniente al de San Juan de Ulúa.

Nuestras fiestas populares le erizaban los pelos a Hipólito Villarroel, como la del Día de Muertos, cuyo festejo se reducía, según él, «a apiñarse hombres y mujeres en el estrecho paso del Portal de los Mercaderes [en el Zócalo capitalino], con el pretexto de ver las ofrendas, cometiéndose en él millares de excesos. Es una permitida escuela de liviandad donde hay todo género de licencias indebidas, siendo continuos los pellizcos, los manoseos, los estrujones y otros precursores de la lascivia».

Despotrica en contra de los indios y de su muy ligera vestimenta: «Ayudando a misa uno de éstos, al tiempo de pasar el misal para el Evangelio, se le desprendió la tilma y se quedó en cueros vivos a vista de un gran concurso que la estaba oyendo en la Catedral. ¿Qué indevoción no causaría este obsceno y torpe espectáculo a la vista de todo el pueblo?»

Escribe que la vida de los indios es la de estar «sumergidos en los vicios de la ebriedad, del latrocinio, del robo, de los homicidios, estupros, incestos y otras innumerables maldades».

En los periodos festivos, las mujeres tienen «por acto vergonzoso y de menos valer el presentarse todos los días con un mismo traje; de donde provienen las disensiones domésticas en unas, la prostitución en otras y la profanidad sin límites en todas».

El tema de las bebidas alcohólicas ocupa a Villarroel, desde las vinaterías que expendían «caldos de Castilla», hasta las pulquerías. En la ciudad estaban autorizadas veinticuatro pulquerías para hombres y doce para mujeres, pero en realidad operaban cuarenta y cuatro, abiertas para ambos sexos (por eso el virrey Revillagigedo estableció pocos años después los «departamentos de mujeres», mismos que hasta nuestros días subsisten). «Cada pulquería es una oficina donde se forjan los adulterios, los concubinatos, los estupros, los hurtos, los robos, los homicidios, rifas, heridas y demás delitos.» De las bocas de sus concurrentes «salen las más refinadas obscenidades, las más soeces palabras y las producciones más disolutas, torpes, picantes y provocativas».

Veamos otras materias sueltas tratadas por Villarroel. Existían mujeres que se rentaban como nodrizas: «Indias, mulatas, *coyotas, lobas* y otras castas se solicitan para *chichiguas* o amas de leche». A México habían llegado muchos inmigrantes, como los gitanos: «Sus bailes son lascivos, sus cantares tristes en lengua vulgar o en su germanía, conforme a sus viles inclinaciones».

El comandante Alejandro Malaspina trataba de mantener el buen orden entre sus marinos, tanto en tierra como a bordo, por lo cual emitió en Acapulco una orden a todos los oficiales para que no permitieran ningún alboroto de las clases subalternas, remitiendo al barco a cualquier revoltoso y a «todo el que manifestase, aunque remotamente, un principio de borrachera. No se omitirá tampoco el acudir inmediatamente a donde se sospechen principios de riña o de otros desórdenes; igualmente si se notase alguna casa en tierra de extraordinaria concurrencia de vicios o algunos individuos nuestros reincidentes en los escándalos».

Concluyamos recordando, con Francisco Sedano, que en 1762 se dieron doscientos azotes «a un insolente que, bañándose en una laguneta, se paraba y se manifestaba torpemente desnudo a la gente que iba en canoa al paseo de Iztacalco; delante de La Viga le continuaron los azotes amarrado a un palo».

ACCIDENTES CRUENTOS

Fray Francisco Ximénez relata que, en Chiapas, a un blasfemo lo sorprendió en el campo una fuerte tormenta y un rayo lo mató, y «sacándole la lengua, la dejó clavada en la punta de un gran pino, para memoria de su maldad».

El jesuita Miguel del Barco apunta, con respecto a los pumas en Baja California, hechos espeluznantes de aquellos tiempos en que atacaban a la gente. Relata el misionero, «para que se sepa la osadía de estos feroces animales», que un indio caminaba solo y «le saltó un león. Llevaba un cuchillo y con él se defendía y hería a su enemigo, que no por eso lo soltó sino que prosiguió a rasgarle las carnes con sus uñas. Al fin el hombre quedó muerto y el león se retiró mal herido. Súpose después que estaba muerto en el campo, ya muy hinchado y desfigurado. Fueron allá muchos indios y por el rastro y huella del león y del hombre se conoció que habían peleado y revolcádose mutuamente».

Otro caso fue el de un indio del cual sólo se encontraron los huesos, porque los animales ya se lo habían comido. «No sabemos, si aún antes de morir, hallándole solo y moribundo, las fieras lo despedazaron, como es muy factible, o si después de muerto le acometieron».

En relación con las víboras de cascabel y los antídotos contra su veneno, este jesuita informa acerca de uno que convendría repensar la conveniencia de tomarlo: «Un indio de San José, picado en el dedo gordo del pie, escapó felizmente, porque luego se le dio triaca [o excremento] humana reciente, y también sobre la picadura (que se rozó con una navajita, abriéndola algo más), se puso un colmillo de caimán».

Siendo desérticas aquellas regiones, el padre Juan Jacobo Baegert se asombra de que en presencia de cantidades tan inmensas de espinas, «los californios, que siempre andan descalzos y desprevenidos, sobre todo los niños, no se lastimen diariamente o no queden heridos con más frecuencia, lo cual me da motivo de adorar la solicitud de los ángeles guardianes». Y con acierto y cursilería, continúa reflexionando: «Es muy cierto que California tiene sus espinas, pero éstas no molestan ni lastiman con tanta frecuencia, ni tan hondamente, como aquellas otras que se guardan en los cofres de Europa y que desgarran los corazones de sus dueños, por medio de punzantes congojas».

La información zoológica que proporciona este jesuita incluye muchas rarezas: «Una onza se atrevió a atacar a un muchacho de catorce años, al mediodía y casi en presencia de la gente; otro animal de la misma especie cortó la existencia del soldado más fuerte y más estimado [...]. No transcurre un año sin que no sean remitidos algunos californios a la eternidad a causa de las picaduras de víboras [...]. No peco de mentiroso al asegurar que he matado, en trece años y en una casa construida de piedra y mezcla, más de medio millar de alacranes [...]. En algunos arroyos, junto al mar, viven caimanes de grandes dimensiones, de los que hay que cuidarse mientras se saca agua, se baña o se lava, porque algunos de ellos pueden tragarse a un hombre entero».

En una hacienda de Michoacán, cuando el padre Francisco de Ajofrín iba a beber agua en una fuente, un indio le gritó: «¡Ay, padre! ¡Mira el *coconaquistle*! Reparé, y vi en el sitio donde había estado sentado una culebra no muy corpulenta, negra y de hocico romo. No me asusté mucho, hasta que el indio me dijo: 'Hoy naciste, padre bendito; no tienen remedio estas mordeduras'. Y supe después con más certeza la actividad del veneno de la referida culebra, que es tal, que luego empieza el mordido a arrojar sangre por la boca, ojos, narices y oídos, y aun entre las uñas de pies y manos, y en dos credos expira ahogado en su misma sangre. Pero como un clavo saca otro clavo, si luego, sin dilación alguna, aplican a la parte donde mordió la culebra un sapo abierto por la barriga, no muere luego y da lugar para aplicar otras medicinas con que sana».

Hacia la cuenca del Papaloapan, señala que «el tigre», es decir el jaguar, era el más nocivo entre todos los animales y el que más abundaba. «Hay tantos en estos pueblos bajos y están tan encarnizados e insolentes que, no contentos con atacar a los indios que están en el campo trabajando, vienen de noche a los pueblos y entran en sus jacales. Se han comido a muchos indios y a otros han arrancado brazos, piernas, etcétera, de suerte que viven en gran consternación y no se atreven a caminar ni salir solos al campo. El cogerlos es difícil por la espesura de los montes y fragosidad del terreno. Ponían trampas, llevaban perros, salían con armas, pero con poco fruto, pues rara vez mataban alguno, siendo frecuentes los estragos en animales domésticos y aun en los racionales.»

Apunta el fraile que hay muchos alacranes, «famosos en todo este país; son chiquitos y rojos, pero muy bravos y venenosos. Los niños, hasta la edad de diez a doce años, mueren indefectiblemente si les pica el alacrán; pero los grandes, aunque se traban y padecen mucho, no mueren todos y se liberan no pocos.

»Aun más cruel y mortífera es la picadura de una arañita, como un grano pequeño de aljófar; en pocos instantes muere el paciente ahogado en su misma sangre, sin remedio alguno.»

En Durango, el militar español Nicolás de Lafora escribe que el verano se hace inhabitable por «la prodigiosa multitud de alacranes, tan ponzoñosos que llegan a matar hasta a las personas grandes que pican; tampoco faltan tarántulas y cientopiés, cuyo veneno es también mortal».

El franciscano Pedro Font relata un accidente acaecido cuando unos expedicionarios cruzaban el río Colorado, ayudados por mujeres indígenas que eran excelentes nadadoras; algunas de ellas atravesaron los bagajes, pero la que cargó las herraduras de las mulas «se fue a fondo sin poderse salvar a la india, ni a la *corita*» o cesto en que las llevaba.

ENFERMEDADES, VIOLENCIA Y MILAGROS

El jesuita Francisco de Florencia nació en Florida en 1620 y escribió el *Zodiaco mariano,* una especie de historia general de las imágenes de la Virgen María en América septentrional. Juan Antonio de Oviedo, también jesuita, nació en Bogotá en 1670 y revisó y amplió el texto del *Zodiaco* —inédito hasta entonces—. De ese trabajo mancomunado proviene la siguiente información.

En ocasiones se considera milagrosa la participación de la Virgen no por haber hecho algo con resultados propiamente felices, sino por haber reducido los males. Esto muestra a veces situaciones paradójicas que serían de hilaridad, si no fueran dramáticas; valgan algunos ejemplos. La Virgen de Izamal, en Yucatán, fue colocada en un trono de plata: «Aun los enfermos se hacían llevar en hombros, de lo cual muchos sanaron, y murieron muchos, conforme a cada cual convenía para el bien de sus almas [...]. Fue cosa digna de nota y de grande admiración, que se atribuyó al patrocinio de la benignísima Madre, el que siendo tantos los que perecieron de la peste, ninguno murió sin recibir los santos sacramentos [...]. De ocho que eran los padres de la Compañía, habiendo enfermado todos, murieron seis, y veinte de los religiosos franciscanos; y se puede creer piadosamente que todos por intercesión de la Santísima Virgen consiguieron el premio eterno de la gloria».

La Virgen del Coro, en el convento de Santa Catarina de Sena en México, hizo lo suyo: «Hubo una religiosa ciega a quien Dios quitó la vista del cuerpo, para que sin impedimento exterior alguno, tuviese más abiertos los ojos del alma para contemplar la hermosura y perfecciones de Dios». Predijo que en breve morirían veinticuatro monjas y así sucedió, al llegar la peste al convento, «y aunque fueron muchas más las que se vieron en peligro de muerte, sólo murieron veinticuatro». Cuando comenzó la enfermedad, hicieron «una rogativa a su Virgen del Coro porque cesase aquel contagio, como de hecho cesó».

La Virgen de El Pueblito, en Querétaro, le evitó mayores males a una parturienta que dio a luz a una niña perfectamente formada, pero «muerta y seca, y poco después arrojó las pares también tan secas, que al tocarlas sonaban como pergaminos; pero ni en ellas ni en la niña se advirtió corrupción alguna o mal olor. Lo cual tuvieron todos por gran prodigio, porque parece exceder a las fuerzas de la naturaleza el que una criatura por tantos meses muerta, no se hubiese corrompido ni causase la muerte a la madre».

La Virgen de Loreto, en Puebla, ayudó al padre Pedro de Burgos, quien se embarcó en Acapulco para dedicarse a la conversión de los infieles en Asia. «Pero antes de llegar al término de sus deseos, habiéndose apestado la nao en que iba, se dedicó al servicio de los enfermos, y en este ejercicio de ardiente caridad arribó al cielo primero que a Filipinas».

El nombre de Nuestra Señora de la Macana, en Tlalnepantla, surgió de la violencia. Unos indios sublevados quemaron el templo, «violaron los vasos sagrados y rasgaron los ornamentos incitados por el demonio, quien los exhortó a que se sacudiesen el yugo del Sagrado Evangelio»; el mismo día quitaron la vida a veintiún religiosos. Uno de los agresores encontró la imagen de la Virgen escondida, y «con indecible desacato, quitándole la corona, le dio un furioso golpe en la cabeza con una aguda macana, del cual hasta hoy conserva la señal».

Buena parte de las vírgenes se especializa, por decirlo así, en la curación de enfermedades, entre ellas muchas espeluznantes que entresacamos de este libro: «Penoso mal de disentería de sangre, opresión de garganta, *cólera morbus,* continua y vehemente tos, obsesa del demonio y hechizada, manifiestos indicios de maleficio, *mola matriz,* furioso tabardillo acompañado de malignas evacuaciones, molestísimo pujo de sangre y agua, supresión de orina, pies vuelto lo de arriba abajo, molesto accidente de salírsele fuera disformemente el intestino, fluxión de humor mordicante a los ojos, dos parótidas en la garganta, ardentísimas calenturas acompañadas de un gran flujo de sangre por las narices, atropellamiento de caballo», etcétera.

Unos piratas herejes cortaron la lengua a un prisionero y la Virgen de Izamal se la restituyó poco a poco. También curó a un negro esclavo lleno de llagas en todo el cuerpo, «tan podridas, que manaban de ellas gusanos muy grandes».

Numerosas páginas del *Zodiaco* las ocupa la patrona de México con diversos sucesos, como el de una mujer que, sin saber la causa, se le fue hinchando el vientre «con tal exceso, que ya le parecía que había de reventar». Se hizo llevar ante la Virgen de Guadalupe, y con mucho fervor le pidió el remedio de su mal. Bebió agua de El Pocito y luego se quedó dormida. Entonces vio el sacristán que debajo de la mujer «salía un culebrón de nueve varas de largo, que era el que le causaba la hinchazón del vientre. Ella despertó, y se halló buena y sana, y aun pudo ayudar a matar la culebra, por lo cual dio muchas gracias a la Madre de Dios».

La Virgen de Zitácuaro devolvió su oreja y salvó la vida a un manchego: «En una pendencia que se le ofreció, le llevaron de un tajo una oreja y le cortaron con ella dos arterias, de las cuales le salían raudales de sangre».

La Virgen de San Juan de los Lagos era liberal en sus milagros: revivió a un niño mulato que «acometió furioso un perro [...]. Más admiración causa la resurrección de un perro por la intercesión de Nuestra Señora»; se trataba de un can muerto por una flecha envenenada; la dueña acercó un puño de tierra a la Virgen y luego lo untó en la herida del animal.

En la ciudad de México, el capuchino Francisco de Ajofrín se interioriza en materias vinculadas con la salud pública: «Verdad es que la enfermedad que llaman *miserere* (es *estrangurria* o *cagalera,* con que en buenos términos a este bendito salmo le han echado a las letrinas) reina más aquí que en otras partes.

»Es un país muy enfermo y temible para los europeos, de quienes ha sido sepulcro por la enfermedad del vómito prieto o vómito de sangre negra y pútrida.» Este formidable contagio mató en Veracruz a infinidad de extranjeros, causando más estragos en los marineros, «ya por la carne salada que comen como por la gran fatiga de las maniobras en el curso del viaje. Es rarísimo el que escapa. No lo padecen los naturales, regularmente».

Un botón de muestra de la acuciosidad del jesuita Juan Nentuig en su prolija descripción de las plantas medicinales sonorenses y sus efectos, podría ir desde la extraordinaria jojova («ella es un tesoro») y la caramatraca («si alguna se había de adjudicar el nombre de panacea, diera yo mi voto a ésta») hasta plantas específicas para todo: digestión, calenturas, contra picaduras de víboras, «pasmo, paridas, flujos, purgas, soldaduras de huesos», dolor de muelas, sarampión, viruelas, tumores, apostemas, picaduras de alacranes, llagas, dolores de cabeza, contusiones, golpes, heridas, rabia; en fin, para «desobstruir la orina tapada, para vomitar, para deshinchar, para hacer fértiles a las casadas, para los tullidos, para heridas de flechas ponzoñosas». Contra el *mal del aire* consigna las virtudes de los detritus de un gusano.

Y sigue con los temas médicos: «Con sólo dos veces beber el *cha,* toma su corriente el menstruo, y queda sana la india. Dígolo porque tienen mucha necesidad de semejantes remedios estas pobres, porque sin reparar en qué les hace daño, entran en el agua y se bañan en todos tiempos y de esto procede dicho mal, y lo peor es que sin decirle a nadie se dejan morir».

Muy interesante es esta práctica funeraria pima referida a los difuntos de corta edad: «A los niños de pecho les llevan en una jícara leche ordeñada de sus pechos las mismas madres, y se la echan en la sepultura, y esto lo hacen por algunos días continuos», después de su muerte.

Fray Pedro Font, en Sonora, nos deja saber que los soldados casados, en algunas expediciones, llevaban consigo a sus mujeres e hijos y muchas dieron a luz durante los más de ocho meses que duró un recorrido: «Una parió un lindo muchacho, pero salió el parto tan atravesado que nació por los pies y la mujer se murió de sobreparto; otra mal parió una criatura muerta».

Juan José de Encinas, teniente de justicia mayor en 1783, escribió un informe llamado *Plantas medicinales de Sonora* que incluye, además de ese estado, las regiones colindantes de Sinaloa y Chihuahua. En él encontramos interesantes noticias.

La *tescalama* es «buena para flujos de sangre», poniéndosela en la cintura la enferma. La *saya* y la *yerba del indio* sirven para contrarrestar la ponzoña de las flechas envenenadas, puestas en la herida. Las hojas de mezquite cocidas con orines y ese líquido diluido con leche de mujer ayuda en las enfermedades de los ojos. Las hojas de sabino o ahuehuete, hervidas, «aprovechan» contra la lepra y la rabia; también contra la hidrofobia son el *estafiate,* el *batamote* y la *pimientilla.* La corteza de álamo en infusión, «dada a beber a la mujer parida que se le han pegado las pares, se las hace echar». El té de *chicura* y el de *salvia* «hace venir el mes a las mujeres que lo tienen detenido y a la recién parida la liberta de intuertos, deshace los grumos de la sangre y la hace purgar bien». Asimismo la *yerba del venado* «hace venir el menstruo», igual que la *damiana,* la *escoba amarga* y el *culantrillo.* La planta conocida como *cola de conejo* se usaba contra «los pujos de sangre». La *barbudilla,* la raíz de *saratama* y la *coronilla* son buenas contra las picaduras de animales ponzoñosos. Los lavados con un cocimiento de *talampacate* ayudan a curar «las llagas en las partes bajas» y también «las almorranas, trayéndolo como cojín, entre la vía», al igual que el *capalache.* La raíz de peonía «es medicinal contra todo género de ventosidad o crudeza en el estómago». La *golondrina* hervida «es buena para el que echa sangre por la boca».

Para «parir luego» era la *escarcionera.* La *yerba del pastor* para «el mal de orina». La *yerba del sapo* «para los que padecen de pujos; frita en sebo se aplica a la vía posterior». La *confitilla negra* se aplicaba a «la mujer que quede accidentada de partos». En fin, para «quitar las melancolías del corazón» se usaba la *doradilla.*

Por aquellos mares del noroeste, el comandante Malaspina cuenta que su tripulación empezó a padecer enfermedades mortales, y anota: «Muy luego los dos desórdenes inseparables del marinero, esto es, el uso del aguardiente y la preferencia de los remedios propios y caseros a la útil mano del médico, enfurecieron la epidemia».

De acuerdo con Francisco Sedano, en 1733, en el barrio capitalino de San Pablo, una mujer «morena parió un monstruo de figura de marrano, liso y sin pelo, de color tostado, cabeza grande, redonda, cerdas en la frente, boca grande, rasgada, dos dientes, nariz chata, orejas de mono, rabo corto, los pies con pezuñas, la mano derecha con cinco dedos y la izquierda con cuatro, su tamaño regular de marranillo».

La epidemia de tifo o *matlazahua* sufrida en 1736-1737 costó la vida a 40 157 indios en la ciudad de México, sin contar las muertes no registradas. La mortandad entre los españoles fue mínima.

INICIOS DEL SIGLO XIX

Para no dejar fuera de nuestro recuento a las últimas dos décadas de la Nueva España —las primeras del siglo XIX, antes de que México lograra su independencia—, incluimos aquí las noticias proporcionadas por tres autores; ellas se relacionan con la guerra de Independencia, con personas hermafroditas y enanas, con el control de la natalidad, el adulterio y la prostitución. Veremos que subsistía la costumbre indígena, en el norte de México, de quitar la cabellera a los enemigos, vivos o muertos (práctica que continuó durante esa centuria).

Guillermo Dupaix nació hacia 1748 en Luxemburgo, cuando formaba parte del imperio austrohúngaro. No obstante, antes de los veinte años de edad podemos considerarlo «naturalizado» en España, ya que en 1767 ingresó al ejército real y estuvo al servicio de la Corona durante más de tres décadas, retirándose de las armas hacia 1800. Aparentemente de origen noble, culto y amante de la verdad, vino a la Nueva España y realizó tres expediciones arqueológicas patrocinadas por el rey de España, en la primera década del siglo XIX.

En el valle de México identificó, por Xochimilco, una extraña pieza prehispánica, según leemos en sus *Expediciones de la Nueva España:* «Aunque la cabeza y sus adornos son varoniles, los pechos bastante abultados nos dejan en la duda sobre su legítimo sexo, salvo que por esta representación ambigua o equívoca quisieran manifestar en ella un individuo hermafrodita».

Y a propósito de ese fenómeno, Dupaix reporta un extraño caso que le tocó conocer en Puebla, al cual dedica prolija y detallada descripción que muestra el interés científico de este viajero. Se trataba de un mestizo de veintiséis años: «El misterio yace en las partes sexuales de ambos sexos, pues las tres vías son seguidas y en sus respectivos lugares. Últimamente, cuando salí de esa ciudad, quedaban de acuerdo los facultativos en tener una junta o consulta anatómica, y en virtud de sus reconocimientos tratar de la vestidura que deba llevar este ente singular, sea de varón o de hembra».

En Tlalmanalco halló una figura zoomorfa que representaba «un feto recién extraído del vientre de su madre».

Como suele ocurrir con las personas inteligentes, Dupaix tenía sentido del humor. En Chiapas, «trajeron a mi casa a una india enana del pueblo de Zinacantán, de treinta años de edad y de una vara y dos líneas de altura. Es menester confesar que la Naturaleza anduvo muy económica en la formación de este individuo, pues fue poca materia y mal distribuida, cuando en la de los gigantes manifiesta su poder y su prodigalidad».

Como era de esperarse, Dupaix también tuvo sinsabores en sus viajes mexicanos. En Tecali, Puebla, «andaban rondando por esas comarcas unos ladrones, disfrazados unos de soldados y otros de frailes, y con esos antecedentes me hicieron la honra de considerarme socio de ellos». Fue apresado por error y posteriormente liberado con las debidas disculpas, pues llevaba a cabo un encargo del rey.

El diputado español Pedro Bautista Pino presentó a las Cortes de Cádiz, en 1812, estas *Noticias históricas y estadísticas de la antigua provincia del Nuevo México.* De ellas tomamos información que atañe a los estados del norte de nuestro actual territorio y a su población autóctona, notablemente disminuida ya desde aquellos años. Pino atribuye esa reducción demográfica «al abuso muy arraigado que hay entre las indias, pues no quieren parir arriba de cuatro hijos, y consiguen su intento por medio de los brebajes que toman al efecto».

Entre todas las tribus que asolaban los confines septentrionales de la Nueva España, la comanche era la más valerosa: «No admite cuartel y lo da a los vencidos. Prefiere la muerte, por no sujetarse al más mínimo acto de humillación; en las acciones de guerra jamás acomete con ventaja ni traición, sino siempre cara a cara y después de haber hecho la señal con sus pitos». Los jefes tenían hasta siete mujeres. El adulterio en la casada se penaba con la muerte y asimismo la prostitución.

En cambio, «la nación apache es la más nociva y cruel de todas; siempre desnuda, siempre matando a traición y robando, martiriza a sus prisioneros del modo más cruel. Suelen quitarles el cráneo vivo, e irles cortando el cuerpo a menudos pedazos».

Simón Bolívar (1783-1830) estuvo en México un mes y medio, a los quince años de edad: proveniente de La Guayra y de paso rumbo a Madrid, donde habría de proseguir sus estudios, llegó a Veracruz en 1799. Huérfano y rico, nunca más volvería a nuestro país, aunque siempre lo tuvo presente. Admirador de nuestros héroes de la Independencia, en 1815 se explaya en una carta en contra de la crueldad del ejército realista:

«Más de un millón de habitantes ha perecido en las ciudades pacíficas, en los campos y en los patíbulos. No ha sido solamente una guerra a muerte la que los españoles han declarado contra aquel opulento imperio, sino una guerra de exterminio, la que las tropas españolas hacen con ferocidad, sin cuartel para el vencido, ejerciendo su venganza contra las poblaciones inofensivas de todas clases y pasando a filo de espada, no sólo a los prisioneros sino aún a los civiles, a los ancianos y a los enfermos, a las mujeres y a los niños, saqueando y destruyendo ciudades y aldeas.»

En otra carta, continúa refiriéndose a nuestro país, «que parece destinado a empaparse con la sangre de sus hijos. Llegó el tiempo de pagar a los españoles suplicios con suplicios y de ahogar a esa raza de exterminadores en su sangre o en el mar».

BIBLIOGRAFÍA

ACOSTA, JOSEPH DE, *Historia natural y moral de las Indias,* México, Fondo de Cultura Económica, 1985.

AGUILAR, FRANCISCO DE, *Relación breve de la Conquista...,* México, Universidad Nacional Autónoma de México, 1977.

AJOFRÍN, FRANCISCO DE, *Diario del viaje a la Nueva España,* México, Secretaría de Educación Pública, 1986.

ALCALÁ, JERÓNIMO DE, *Relación de Michoacán,* México, Secretaría de Educación Pública, 1988.

ANGUIS, LUIS DE, *Carta a Felipe II,* México, Porrúa, 1975.

ANÓNIMO, EL CONQUISTADOR, *Relación...,* México, América, 1941.

ASUNCION, ISIDRO DE LA, *Itinerario a Indias (1673-1678),* México, Condumex, 1992.

BAEGERT, JUAN JACOBO, *Noticias de la península americana de California,* 1a. ed., Alemania, 1772 (introd. Paul Kirchhoff), México, José Porrúa e Hijos, 1942.

BARCO, MIGUEL DEL, *Historia natural y crónica de la antigua California,* México, Univesidad Nacional Autónoma de México, 1973.

BENÍTEZ, FERNANDO, *Los demonios en el convento. Sexo y religión en la Nueva España,* México, ERA, 1998.

BOLÍVAR, SIMÓN, «Cartas», en *Bolívar en México,* 1a. ed., México, 1946 (recopilación y pról., Rafael Heliodoro Valle), Secretaría de Relaciones Exteriores, 1992.

BOTURINI, LORENZO, *Idea de una nueva historia general de la América septentrional...*, México, Innovación, s/f.

CABEZA DE VACA, ÁLVAR, *Naufragios...*, Madrid, Historia-16, 1984.

CARLETTI, FRANCESCO, *Razonamientos de mi viaje alrededor del mundo,* México, Universidad Nacional Autónoma de México, 1983.

CARVAJAL, LUIS DE (EL MOZO), *Procesos de Luis de Carvajal (El Mozo),* México, Talleres Gráficos de la Nación, 1935.

CIUDAD REAL, ANTONIO DE, *Tratado curioso y docto de las grandezas de la Nueva España,* 2 vols., México, Universida Nacional Autónoma de México, 1976.

CORTÉS, HERNÁN, *Cartas de relación,* México, Porrúa, 1983.

DAMPIER, WILLIAM, *Dos viajes a Campeche,* México, Miguel Ángel Porrúa, 2004.

DÍAZ DEL CASTILLO, BERNAL, *Historia verdadera de la conquista de la Nueva España,* México, Porrúa, 1983.

DÍAZ, JUAN, «Itinerario de Juan de Grijalva», en varios autores, *La conquista de Tenochtitlán,* España, Dastin, 2002.

DUPAIX, GUILLERMO, *Expediciones acerca de los antiguos monumentos de la Nueva España,* Madrid, José Porrúa, 1969.

DURÁN, DIEGO, *Historia de las Indias de Nueva España e islas de la Tierra Firme,* México, Porrúa, 1984.

ELIZONDO, DOMINGO, *Expedición militar contra los rebeldes seris y pimas, 1767-1771,* México, Universidad Nacional Autónoma de México, 1999.

ENCINAS, JUAN JOSÉ DE, «Plantas medicinales de Sonora y Ostimuri», en Fernando Ocaranza, *Crónicas y relaciones del occidente de México,* México, Robredo-Porrúa, 1939.

ESPARZA, MANUEL, *Juan Peláez de Berrio, alcalde mayor de la villa de Antequera,* México, Conaculta, 1993.

EXQUEMELIN, ALEXANDRE, *Piratas de América,* Barcelona, Barral, 1971.

FERIA, PEDRO DE, «Relación que hace el obispo de Chiapa...», en varios autores, *El alma encantada,* México, Fondo de Cultura Económica, 1987.

FERNÁNDEZ DE OVIEDO, GONZALO, *Sucesos y diálogo de la Nueva España,* México, Universidad Nacional Autónoma de México, 1946.

FERNÁNDEZ DE QUIRÓS, PEDRO, *Descubrimiento de las regiones australes,* Madrid, Historia-16, 1986.

FLORENCIA, FRANCISCO DE, Y JUAN ANTONIO DE OVIEDO, *Zodiaco mariano,* México, Conaculta, 1995.

FONT, PEDRO, «Diario íntimo», en Julio César Montané, *Fray Pedro Font,* México, Universidad de Sonora/Plaza y Valdés, 2000.

GAGE, THOMAS, *Viajes en la Nueva España,* Cuba, Casa de las Américas, 1980.

GÁLVEZ, JOSÉ DE, *Informe sobre las rebeliones populares de 1767,* México, Universidad Nacional Autónoma de México, 1990.

GARCÉS, FRANCISCO, *Diario de exploraciones en Arizona,* México, Universidad Nacional Autónoma de México, 1968.

GARCÉS, JULIÁN, «Alegato en pro de los naturales de Nueva España», en René Acuña, *Fray Julián Garcés,* México, Universidad Nacional Autónoma de México, 1995.

GARCÍA DE PALACIO, DIEGO, «Documentos inéditos del Archivo de Sevilla», en Othón Arróniz, *El despertar científico en América,* México, Universidad Autónoma Metropolitana, 1980.

GEMELLI CARRERI, JUAN FRANCISCO, *Las cosas más considerables vistas en la Nueva España,* México, Xóchitl, 1946.

GÓMEZ, JOSÉ, *Diario curioso y cuadernos de las cosas memorables en México durante el gobierno de Revillagigedo,* introd. Ignacio González Polo, México, Universidad Nacional Autónoma de México-Instituto de Investigaciones Bibliográficas, 1986.

GÓMEZ NIETO, *Visita a la Huasteca (1532-1533),* introd. Juan Manuel Zevallos, México, CIESAS (Huasteca), 2001.

GÓNGORA, BARTOLOMÉ DE, *El corregidor sagaz,* Madrid, Sociedad de Bibliófilos Españoles, 1960.

GRANADOS Y GÁLVEZ, JOSÉ JOAQUÍN, *Tardes americanas,* México, Universidad Nacional Autónoma de México, 1987.

GUZMÁN, NUÑO DE, «Escritos diversos», en Fausto Marín Tamayo, *Nuño de Guzmán,* México, Siglo XXI, 1990.

HERNÁNDEZ, FRANCISCO, *Antigüedades de la Nueva España,* Madrid, Historia-16, 1986.

KINO, EUSEBIO FRANCISCO, *Crónica de la Pimería Alta...,* Sonora, Gobierno del Estado, 1985.

LAFORA, NICOLÁS DE, *Relación del viaje que hizo a los presidios internos situados en la frontera de la América septentrional perteneciente al rey de España,* introd. Vito Alessio Robles, México, Pedro Robredo, 1939.

LANDA, DIEGO DE, *Relación de las cosas de Yucatán,* Madrid, Historia-16, 1958.

LAS CASAS, BARTOLOMÉ DE, *Brevísima relación de la destrucción de las Indias,* México, Fondo de Cultura Económica, 1974.

LEÓN PINELO, ANTONIO DE, *Cuestión moral si el chocolate quebranta el ayuno eclesiástico,* Madrid, Juan González, 1636; México, Condumex, 1994.

LÓPEZ DE GÓMARA, FRANCISCO, *Historia general de las Indias. Conquista de México,* España, Orbis, 1985.

MADRE DE DIOS, AGUSTÍN DE LA, *Tesoro escondido en el Monte Carmelo mexicano,* introd. Eduardo Báez M., México, Universidad Nacional Autónoma de México-Instituto de Investigaciones Estéticas, 1986.

MALASPINA, ALEJANDRO, *La vuelta al mundo por las corbetas Descubierta y Atrevida (diario de viaje 1789-1794),* introd. Pedro de Novo y Colson, Madrid, Imprenta de la Vda. de Abienzo, 1885.

MANGE, JUAN MATEO, *Diario...,* Sonora, Gobierno del Estado, 1985.

MONTANÉ MARTÍ, JULIO CÉSAR, «El pecado nefando en la Sonora colonial», en *Fray Pedro Font,* México, Universidad de Sonora/Plaza y Valdés, 2000.

MOTOLINÍA, TORIBIO DE BENAVENTE, *Historia de los indios de la Nueva España,* México, Porrúa, 1984.

MOYA DE CONTRERAS, PEDRO, *Cinco cartas,* Madrid, José Porrúa Turanzas, 1962 (1a. ed. México, 1928); con biografías de Moya por Cristóbal Gutiérrez de Luna (1619) y Francisco Sosa (Bibliotheca Tenanitla, 3).

NENTUIG, *El rudo ensayo,* México, Instituto Nacional de Antropología e Historia, 1977.

NIZA, MARCOS DE, «Historia de México», en Ángel Ma. Garibay (ed.), *Teogonía e historia de los mexicanos,* México, Porrúa, 1996.

OCARANZA, FERNANDO, *Crónicas y relaciones del occidente de México,* México, Robredo-Porrúa, 1939.

OLMOS, ANDRÉS DE, «Descripción etnográfica», en Ángel Ma. Garibay (ed.),*Teogonía e historia de los mexicanos,* México, Porrúa, 1996.

ORTEGA MONTAÑÉS, JUAN DE, *Instrucción reservada...,* México, Jus, 1965.

PALOU, FRANCISCO, *Relación histórica de la vida de fray Junípero Serra,* México, Porrúa, 1982.

PÉREZ DE RIVAS, ANDRÉS, *Páginas para la historia de Sonora,* Sonora, Gobierno del Estado, 1985.

PFEFFERKORN, IGNACIO, *Descripción de la provincia de Sonora,* Sonora, Gobierno del Estado, 1983.

PÍCOLO, FRANCISCO MARÍA, «Relación sucinta...», en Eusebio Francisco Kino, *Crónica de la Pimería Alta...,* Sonora, Gobierno del Estado, 1985.

PINO, PEDRO BAUTISTA, «Noticias de la antigua provincia de Nuevo México», en Enrique Florescano e Isabel Gil (comps.), *Descripciones económicas regionales de Nueva España,* México, Instituto Nacional de Antropología e Historia, 1976.

PINTO, LUCAS, «Relación de Ixcateopan...», en Francisco del Paso y Troncoso, *Relaciones geográficas de la diócesis de México,* México, Cosmos, 1979.

POMAR, JUAN BAUTISTA DE, «Relación de Texcoco», en *Relaciones geográficas del siglo XVI,* México, Universidad Nacional Autónoma de México, 1986.

RAMÍREZ, JUAN, *Servicio personal al cual son forzados los indios,* en Lewis Hanke, *Cuerpo de documentos del siglo XVI,* México, Fondo de Cultura Económica, 1977.

RECARTE, GASPAR DE, «Tratado del servicio personal...», en *Documentos inéditos...,* México, Porrúa, 1975.

REMESAL, ANTONIO DE, *Historia general de las Indias occidentales,* México, Porrúa, 1988.

SAETA, FRANCISCO, «Cartas», en Eusebio Francisco Kino, *Crónica de la Pimería Alta...,* Sonora, Gobierno del Estado, 1985.

SAHAGÚN, BERNARDINO DE, *Historia general de las cosas de Nueva España,* México, Porrúa, 1982.

SEDANO, FRANCISCO, *Noticias de México,* 3 vols., México, Departamento del Distrito Federal, 1974.

SEIJAS Y LOBERA, FRANCISCO, *Gobierno militar y político del reino imperial de la Nueva España,* México, Universidad Nacional Autónoma de México, 1986.

SIGÜENZA Y GÓNGORA, CARLOS DE, «Alboroto y motín de México del 8 de junio de 1692», en *Relaciones históricas,* México, Universidad Nacional Autónoma de México, 1940.

SOLÍS, ANTONIO DE, *Historia de la Conquista,* Madrid, Espasa-Calpe, 1970.

SUÁREZ DE PERALTA, JUAN, *Noticias históricas de la Nueva España,* publicadas por Justo Zaragoza, Madrid, Imprenta de Manuel G. Hernández, 1878.

——, «Tratado del descubrimiento de las Indias y su conquista», en Dr. Atl, *Volcanes de México,* vol. I, México, Polis, 1939.

TAPIA, ANDRÉS DE, «Relación de algunas cosas de las que acaecieron a Hernando Cortés», en varios autores, *La conquista de Tenochtitlán,* España, Dastin, 2002.

TOLOSA OLEA, JUAN DE, «Relación de Citlaltomagua...», en Francisco del Paso y Troncoso, *Relaciones geográficas de la diócesis de México,* México, Cosmos, 1979.

TORAL, FRANCISCO DE, «Carta a Felipe II», en *Documentos inéditos…,* México, Porrúa, 1975.

TORQUEMADA, JUAN DE, *Monarquía indiana,* México, Porrúa, 1986.

TORRE, TOMÁS DE LA, *Desde Salamanca hasta Ciudad Real,* México, Central (s.f.).

TOVILLA, MARTÍN ALFONSO, *Relación histórica de la Verapaz,* Madrid, Historia-16, 1985.

VÁZQUEZ DE TAPIA, BERNARDINO, *Relación de méritos y servicios,* México, Polis, 1939.

VETANCURT, AGUSTÍN DE, «Teatro mexicano», en *La ciudad de México en el siglo XVIII. Tres crónicas,* México, Conaculta, 1990.

VILLAGRÁ, GASPAR DE, *Historia de la Nueva México,* México, Instituto Nacional de Antropología e Historia/Centro Regional de Baja California, 1993.

VILLARROEL, HIPÓLITO, *Enfermedades políticas que padece la capital de esta Nueva España,* 1a. ed., México, 1937, pról. Beatriz Ruiz Gaytán, México, Conaculta (Cien de México), 1994.

XIMÉNEZ, FRANCISCO, *Historia de la provincia de San Vicente de Chiapa y Guatemala de la orden de predicadores,* 1a. ed. del manuscrito original de Córdoba, España, introd. Carmelo Sáenz de Santa María, Guatemala, Sociedad de Geografía e Historia de Guatemala, 1977.

ZEREZEDA, ANDRÉS DE, «Dudas para herrar a los indios», en Vasco de Quiroga, *La utopía en América,* España, Dastin, 2003.

ZORITA, ALONSO DE, *Relación de la Nueva España,* 2 vols., paleografía y estudios prel. Ethelia Ruiz Medrano *et al.,* México, Conaculta (Cien de México), 1999.

ZUMÁRRAGA, JUAN DE, «Cartas», en *Documentos inéditos…,* México, Porrúa, 1975.

ÍNDICE ONOMÁSTICO